Harry Benjamin

Ohne Brille
bis ins hohe Alter

D1576274

Verlag Hermann Bauer
Freiburg im Breisgau

Die Deutsche Bibliothek – CIP-Einheitsaufnahme

Benjamin, Harry:
Ohne Brille bis ins hohe Alter / Harry Benjamin.
[Ins Dt. übers. von Fritz Dorn]. – 35. Aufl. –
Freiburg im Breisgau : Bauer, 1999
   Einheitssacht.: Better sight without glasses <dt.>
   ISBN 3-7626-0007-4
   ISBN 3-7626-0700-1

Die englische Originalausgabe erschien unter dem Titel
Better Sight Without Glasses
© by Health for all Publishing Company

Ins Deutsche übersetzt von Fritz Dorn

Mit 10 Zeichnungen

35. Auflage 1999
ISBN 3-7626-0700-1
© für die deutsche Ausgabe by
Verlag Hermann Bauer KG, Freiburg im Breisgau
Druck und Bindung: Freiburger Graphische Betriebe,
Freiburg im Breisgau
Printed in Germany

Inhalt

Vorwort

Indem Herr Benjamin mir das Vergnügen und das Vorrecht verschaffte, ein Vorwort für sein Buch über natürliche Methoden bei der Behandlung von Sehstörungen zu schreiben, ermöglichte er mir die Erklärung, daß das von ihm empfohlene System dringend notwendig ist.

Ich bin mir seit langem über die Mängel des Bates-Systems im klaren, so segensreich es auch ist. Viele meiner Patienten sagten mir, sie hätten mit ihm einen Fehlschlag erlebt, bis sie dann unter meiner Obhut ihre Körpergewebe derart zu reinigen vermochten, daß dies zu günstigsten Ergebnissen führte.

Herr Benjamin stellt fest, daß zahlreiche Störungen an den Augen allein mittels Fastenkur zu beheben seien. Das bestätige auch ich nachdrücklich. Nach längerem Fasten fühlten sich viele Brillenträger imstande, die Gläser abzulegen oder gegen schwächere umzutauschen.

Herr Benjamin ist ein lebendiges Beispiel der Stichhaltigkeit seiner neuen Methoden. Sein umfassendes Behandlungssystem, das hier dargelegt wird, wird auch hartnäckige und schwierige Fälle stark bessern oder gar heilen können, vorausgesetzt, es fehlt nicht an Geduld und Ausdauer.

Daß vorliegendes Buch ein Bedürfnis befriedigt, zeigt das weitverbreitete Interesse an den Artikeln von Herrn Benjamin in »Health for All« (»Gesundheit für alle«). Ich bin sicher, daß er mit diesem seinem ersten Buch einen

Erfolg erleben wird, wie er »Anwärtern auf Berühmt-heit« sonst meist versagt bleibt. Er darf die Überzeugung hegen: Sein Buch wird viel Gutes stiften!

Champneys, Tring, England   Stanley Lief

Einführung

Da nichts so überzeugend wirkt wie eigene Erfahrung, wird es von Interesse sein, wenn ich für die Leser dieses kleinen Buches die nachstehende kurze autobiographische Skizze voranstelle:

Sie soll kurz und bündig und ohne Ausschmückung dartun, wie ich nahe daran war, in das dunkle Tal der Erblindung hinabzugleiten, und wie ich durch die Methoden davor bewahrt blieb, die in den folgenden Kapiteln im einzelnen beschrieben werden.

Mein eigener Erfolg bei Überwindung der schrecklichen Mißlichkeit, der ich ins Auge sah, sollte alle Sehgestörten mit der Hoffnung erfüllen, echten Gewinn aus diesen umstürzlerischen Methoden des Augentrainings zu ziehen.

Ich kann nicht sagen, ob ich kurzsichtig zur Welt kam oder nicht. Eins ist aber sicher: Am ersten Schultag entdeckte man, daß mein Sehen beeinträchtigt war. Man riet daher meiner Mutter, meine Augen untersuchen zu lassen.

Gläser schon mit 5 Jahren!

Also nahm man mich mit in die Augenklinik in Westminster, und die Untersuchung ergab, daß ich an sehr ausgeprägter Kurzsichtigkeit litt. Mir wurde eine Brille mit −10 Dioptrien verordnet, so daß ich bereits mit 5 Jahren eine Brille tragen mußte!

Ich besuchte von Zeit zu Zeit diese Klinik, um feststellen zu lassen, ob und wie meine Augen »Fortschritte machten«. Alle zwei oder drei Jahre mußte ich die Gläser gegen ein Paar stärkere auswechseln, bis ich mit 14 Jahren sogar Gläser mit −14 Dioptrien trug.

Die ganze Zeit hindurch hatte ich mich jedoch meiner Ausbildung gewidmet; ich brachte es fertig, mit den so starken Gläsern genug zu sehen, um stets die Schulaufgaben erledigen zu können. Und so konnte ich am Ende von der Schule abgehen, um in den »Civil service« (Verwaltungsdienst) einzutreten.

Eine Krise

Als ich 17 Jahre alt war, entstand eine Krisis. Ich hatte mich daran gewöhnt, sehr viel zu studieren, weil ich vorhatte, es eines Tages »zu etwas zu bringen«. Doch plötzlich entwickelte sich ein Blutfluß oder Blutsturz im linken Auge.

Gleichzeitig war meine allgemeine Gesundheit angegriffen, und ich litt unter sehr vergrößerten Drüsen am Hals: einige davon wurden zusammen mit meinen Mandeln entfernt.

Im Krankenhaus entdeckte man, daß mein Augenlicht sich noch mehr verschlechtert hatte, und ich mußte ein halbes Jahr aller Arbeit fernbleiben, um die Augen zu schonen. Die neuen Gläser waren sogar solche mit −18 Dioptrien, also −4 Dioptrien stärker als vorher!

In Gefahr, das Augenlicht einzubüßen

Ich machte dann mit der –18 Brille so weiter, während der ganzen Dauer des Ersten Weltkrieges, und zwar in verschiedenen Regierungsämtern; aber 1918 riet man mir, die Arbeit als Angestellter ganz aufzugeben, sonst würde ich blind werden. Dieser Rat kam übrigens von einem Spezialisten in der Harley-Straße.

Auf seine Anregung hin hielt ich Ausschau nach einer Betätigung unter freiem Himmel, konnte aber nur eine ausfindig machen, die gewisse Chancen bot; das war die Tätigkeit eines Handelsvertreters.

Dies war ausgerechnet das Letzte, was mir vorgeschwebt hatte, aber »Not bricht Eisen«. So wurde ich eben Vertreter.

Die stärkstmöglichen Gläser

Im Anfang machte ich einen oder zwei Fehlstarts, doch bald hatte ich zum Glück den Dreh heraus und fand einen Arbeitgeber, der Verständnis und Sympathie für mich aufbrachte, so daß er mir sogar erlaubte, meine Studien in Philosophie, Psychologie und Wirtschaftspolitik sowie Allgemeinpolitik fortzusetzen (letztere fesselten mich am meisten), was allerdings meine Tätigkeit als reisender Handelsvertreter etwas behinderte.

Während dieser Zeit besuchte ich Jahr für Jahr den Spezialisten. Er machte mir klar, daß mein Augenlicht immer schwächer werden würde, trotz meiner Berufsgeschäfte im Freien! Als ich 20 Jahre alt war, verschrieb er mir die stärkstmöglichen Gläser:

Rechtes Auge: –20 sphärisch –3 zylindr. 170°.
Linkes Auge: –20,5 sphärisch –3 zylindr. 170°.

»Ihnen kann nichts mehr verschrieben werden.«

Gleichzeitig eröffnete er mir klipp und klar, er könne für mich nichts mehr tun, ich müsse das Lesen ganz aufgeben! – das Lesen, das doch meine Hauptfreude war! – und ich müsse äußerst sorgsam darauf achten, daß sich die Retina in beiden Augen nicht infolge plötzlicher Anstrengung loslöse.

Wahrlich eine ermutigende Aussprache – oder? Doch ich setzte meine gewohnte Lebensweise fort; ich bereiste die Gegenden, wohnte in den besten Hotels und hatte als Handelsvertreter bedeutende Erfolge (dank der Verständnisinnigkeit meines Arbeitgebers). Aber der Gedanke, den ganzen Rest meines Daseins völlig erblindet verbringen zu müssen, erzeugte in bezug auf meine Bestrebungen und Hoffnungen eine Grundstimmung, die weit von Zuversicht entfernt war.

Starke Gläser nutzlos

Ich setzte meine alljährlichen Besuche in der Harley-Straße fort. Aber der Augenarzt hielt mich hin. Im Alter von 28 Jahren merkte ich, daß mir das Augenlich nur noch für ganz kurze Zeit vergönnt sein würde. Es nahm rapide noch mehr ab. Ich konnte kaum noch etwas lesen oder schreiben, obgleich ich eine äußerst starke Brille trug. Beim Versuch, ein Objekt näher zu betrachten, spürte ich schlimme Kopfschmerzen. Ich erkannte: Irgend etwas Durchgreifendes war erforderlich. Aber was?

Der Spezialist konnte mir nicht helfen. Das hatte er mir selber eingestanden!

Da geschieht das Wunder!

Im März 1926 beschloß ich, meine Berufstätigkeit an den Nagel zu hängen, obwohl sie mir ein stattliches Einkommen gewährt hatte, und aufs Land zu gehen. Von da an geschah »ein Wunder!«

Ein Freund gab mir ein Buch zum Lesen oder vielmehr: damit es mir jemand vorlese (ich konnte selber gar nicht mehr lesen). Dies Buch hieß »Perfect Sight Without Glasses« (»Einwandfreies Sehen ohne Brille«) von W. H. Bates, Doktor der Medizin, New York. Der Bruder des Freundes hatte die Bates-Methode ausprobiert und dadurch sein Augenlicht gewaltig verbessert. Jedenfalls wurde mir das erzählt. Ich nahm das Buch mit nach Hause; mein Bruder las es mir vor, und ich erkannte sogleich: Dr. Bates' Standpunkt bezüglich der Ursache von Sehstörungen, aber auch im Hinblick auf die Heilung, war in Ordnung. Ich sah das instinktiv ein!

Augenärzte im Unrecht – Dr. Bates im Recht

Ich konnte sehen, daß der Harley-Straßen-Spezialist und die Riesenmenge der Augenspezialisten, welche die Welt mit Brillen versorgen, im Unrecht waren, Dr. Bates dagegen im Recht!

Gläser können nie fehlerhaftes Sehen »heilen«, sie machen den Zustand der Augen nur schlimmer, und solange jemand fortfuhr, Brillen zu tragen, gab es keine Möglichkeit, jemals die normale Sehfähigkeit zurückzugewinnen. Also war die Maßnahme angebracht: sofort die Augengläser beiseite zu legen, damit die Augen das tun könnten, was sie so lange nicht durften: nämlich sehen! Das Brillentragen hatte sie daran gehindert.

Ich stattete einem Praktiker nach der Bates-Methode in London Westend einen Besuch ab, um den besten Weg herauszufinden, wie ich für mich die Grundsätze von Dr. Bates nutzbar machen könne. Ich gab meine Berufstätigkeit auf und legte die Brille ab, nach 23 Jahren! – und begann, meine Augen umzuerziehen, das heißt wieder zum Sehen zu bringen!

Besserung in wenigen Tagen schon

Man stelle sich nur einmal vor, was ich empfand, als ich die Gläser abgenommen hatte! Ich konnte kaum etwas sehen, aber nach wenigen Tagen begann sich das zu bessern, und in kurzer Zeit war ich imstande, mich ohne Mühe zurechtzufinden. Selbstverständlich konnte ich noch nicht wieder lesen (bis ich dieses Stadium erreicht hatte, dauerte es ein volles Jahr), und dieses Ziel wurde auch nur erreicht, weil ich mit einem weiteren Praktiker nach der Bates-Methode in Kontakt kam, der in Wales wohnte.

Weil ich damals schon eine geraume Weile Vegetarier war, hatte ich monatelang in einem vegetarischen Gasthaus in Cotswolds gewohnt, doch meine Augen verweigerten eine weitere Besserung, so sehr sie sich auch seit der ersten Behandlung nach Bates gebessert hatten.

Naturheil-Diät half sehr

Nach dem Zusammentreffen mit dem betreffenden jungen Mann entschloß ich mich, einige Wochen bei ihm in Cardiff zu verbringen, um unter seiner Leitung weitere Fortschritte zu machen.

Er verordnete mir sogleich eine spürbare Naturheil-Diät: Obst, Salate usw., und nahm meine Betreuung aktiv in die Hand. Schon nach wenigen Tagen begannen sich meine Augen zu bessern, und nach einer Woche vermochte ich einige Worte zu lesen. Nach drei Wochen konnte ich, allerdings langsam und unter Schmerzen, mein erstes Buch ohne Augengläser lesen.

Jetzt sind es 2½ Jahre her, seit ich die Brille ablegte, und nun lese und schreibe ich wieder ganz gut. Mein Sehen auf weitere Entfernung ist nicht so gut; immerhin sehe ich genug, um mich mühelos und bequem in jeder näheren Örtlichkeit zurechtzufinden. Meine Gesundheit und mein Allgemeinbefinden sind unvergleichlic h besser als je zuvor. Voll Freude bestätige ich, daß ich auf Grund der Ratschläge und dank der Unterstützung von seiten meines Freundes, des Praktikers nach der Bates-Methode in Cardiff, den Entschluß faßte, eine Praxis als Naturheilkundiger zu eröffnen.

Welcher Triumph für natürliche Methoden!

Zu diesem Zweck strengte ich mich sehr an, mich mit der Theorie und Praxis der Naturheilmethode vertraut zu machen; ich beendete einen Kursus privater Studien unter der Leitung eines der bekanntesten Londoner Naturheilkundigen.

Seitdem habe ich eine Praxis als Anhänger der Naturheilmethoden in der Behandlung von Augendefekten aufgemacht.

Welcher Kontrast zu meiner Situation vor drei Jahren! Welcher Triumph der Naturheilmethoden!

London 1929   Harry Benjamin

1. Kapitel

Einführung

Fehlerhaftes Sehen ist heutzutage weiter verbreitet als in irgend einer Epoche der Weltgeschichte.

Viele Gründe gibt es für diesen Sachverhalt; der Hauptgrund ist die gewaltige Steigerung in der Benutzung von künstlichem Licht, vorwiegend elektrischem, sowie die Beliebtheit von Kino und Fernsehen.

Wo die Tendenz vorherrscht, daß die Leute immer mehr Zeit unter Bedingungen verbringen, die den Gebrauch künstlichen Lichts zur Notwendigkeit machen, und wo das Fernsehen täglich an Popularität gewinnt, ist jede Veranlassung zu der Überzeugung gegeben, daß fehlerhaftes Sehen sich in den kommenden Jahren nur noch schneller ausbreiten wird.

Die Tatsache, daß die heutigen Verhältnisse an dieser Sachlage schuld sind, enthüllt, daß die Verordnung von Brillen nicht imstande ist, die immer noch mehr wachsende Bedrohung der Gesundheit in ganzen Ländern zu stoppen, und daß Brillen nur Palliativ- (Linderungs) Mittel darstellen.

Tatsächlich erwartet ja niemand, Sehstörungen mit Hilfe von Brillen zu heilen. Man beabsichtigt nur, durch ihre Anwendung die Leidenden dahin zu bringen, daß sie sich mit so wenig Unbehagen wie nur möglich zurechtfinden.

Viele Menschen werden zustimmen, wenn gesagt wird, daß solche Hilfen unschön, ja entstellend an sich wirken. Außerdem liegt jederzeit die Gefahr vor, daß sie zerbrechen und dem Brillenträger Verletzungen zufügen. Sie hindern viele Leute, sich an Leicht- oder Schwerathletik und geselligen Zeitvertreiben zu beteiligen. Dennoch hält man Brillen für eine Wohltat und für eine der größten Errungenschaften der Kultur, würdig, den gleichen Rang wie Fernsprecher und Telegraphie einzunehmen.

Die hohe Achtung, in der Augengläser stehen, ist ganz leicht zu begreifen, denn ohne sie fänden sich Millionen gar nicht zurecht. Ja, immer mehr Leute nehmen zu den Gläsern tagaus, tagein ihre Zuflucht. Aber nur, weil das Publikum zu dem Glauben verleitet wurde, fehlerhaftes Augenlicht sei unheilbar, und die einzig mögliche Abhilfe sei eben eine Brille.

Brächte man diesen Millionen Sehgestörten indessen bei (wie ich hoffe, es im vorliegenden Buch fertigzubringen), daß sie sich durch Brillentragen nur selber bei Überwindung ihrer Augendefekte im Weg stehen und daß sie so ihre Leiden nur verschlimmern, dann würde der allgemeine Glaube an Notwendigkeit und Wirksamkeit der visuellen »Krücken« allmählich schwinden und durch die zunehmende Erkenntnis ersetzt werden, wie sehr das, was sie bislang als eines der Wunder der Wissenschaft ansahen, beim Bemühen um besseres Augenlicht mehr Hindernis als Hilfe darstellt.

Der Glaube an Wert und Notwendigkeit einer Brille in allen Fällen fehlerhaften Sehens ist in der Sinnesart der Öffentlichkeit tief eingewurzelt. Er fußt auf der Annahme, daß alle Sehfehler auf dauernde Änderungen in der Gestalt des Auges zurückgingen und daß daher alles, was getan werden könne, darauf hinauslaufe, die Sehbedingungen durch passende Linsen zu erleichtern.

In vergleichsweise jüngster Vergangenheit indessen ist eine neue Gedankenrichtung über die Ursache und Heilung fehlerhaften Sehens aufgekommen, und zwar dank der Forschungen von Dr. W. H. Bates, New York, die sich über einen Zeitraum von dreißig Jahren erstreckten. Die Begründer dieser neuen Bewegung haben schlüssig bewiesen, daß fehlerhaftes Augenlicht nicht durchweg auf permanente Änderungen in der Gestalt des Auges zurückzuführen ist, sondern nur auf funktionelle Störungen, die in zahlreichen Fällen die Möglichkeit offen lassen, sie durch einfache, natürliche Behandlungsmethoden zu beheben, die jedoch das Tragen von Gläsern verbieten.

Daraus ist zu ersehen: Die Behandlung von Sehfehlern erfolgt heute nach den Prinzipien zweier rivalisierender Richtungen: 1. derer, die die alten Methoden beibehalten und fehlerhaftes Sehen als an sich unheilbar, wohl aber als verbesserungsfähig betrachten: 2. derer, die erkannt haben, daß diese Defekte auf eine ganze Anzahl von Ursachen zurückgehen, von denen die meisten durchaus die Chance bieten, sie ganz auszuschalten, und die wissen, daß von Unheilbarkeit fehlerhaften Sehens gar keine Rede sein kann, daß ganz im Gegensatz dazu jede Hoffnung berechtigt ist, dem Patienten zur Verbesserung seines Sehvermögens, ja häufig sogar zur Wiedererlangung der normalen Sehkraft zu verhelfen, ohne daß es der Zuflucht zu anderen als den ganz simplen und naturgemäßen Methoden bedarf.

Dr. Bates, ein Augenarzt in New York und zeitweise Prüfer der Augen von Kindern, die in New York zur Schule gingen, hat Anspruch auf die Ehre, der Begründer dieser Augenbehandlungsmethode zu sein (bekannt als »Bates-Methode«). Mit zahllosen Experimenten und Vorführungen hat er klargemacht, daß recht viele ziemlich allgemein akzeptierte Ansichten über die Natur fehlerhaften Sehens trügerisch sind. Er hat siegreich seinen Anspruch erhärtet, indem er Tausende von Patienten wieder zu normalem Sehen brachte, die von den größten Augenspezialisten als unheilbar begutachtet worden waren!

Die Bates-Methode wird jetzt in mehreren Ländern mit großem Erfolg ausgewertet, aber die Errungenschaft von Dr. Bates ist von seinen Kollegen, den anderen Augenärzten, völlig ignoriert worden. Ja, viel mehr noch: Er wurde sogar von der gesamten Ärztewelt Amerikas in New York verfolgt, nur wegen seiner unorthodoxen Theorien, und starb, als ein geächteter Außenseiter der Medizin, einige Jahre nach der ersten Ausgabe des vorliegenden Buches. So ergibt sich: Es besteht ganz offensichtlich nur wenig Wahrscheinlichkeit, daß diese epochemachenden Entdeckungen mittels der normalen Mitteilungskanäle ins breite Publikum eindringen.

Daher obliegt es Leuten wie mir, die von dem neuen System großen Nutzen und Segen hatten, dessen Lob zu singen in der Hoffnung, daß dieses System auf solche Art an die übrigen unter Sehstörungen Leidenden herankommt, damit sie auf Grund der großen Leistung von Dr. Bates und seiner Mitarbeiter nunmehr die Möglichkeit erhalten, die Brille für alle Zeit abzulegen und sofort dazu überzugehen, ihren Augen die Fähigkeit normalen Sehens zu verschaffen, was ja ihr »Geburtsrecht« ist!

2. Kapitel

Wie das Auge arbeitet

Um die Denkweise der alten und der neuen Schule in ihrer Unterschiedlichkeit gründlich zu erfassen, ist es unumgänglich, einige Kenntnis von der Anatomie und Physiologie des Auges zu erwerben, denn der Haupt-Divergenzpunkt beider rivalisierenden Richtungen liegt gerade in der auseinanderklaffenden Interpretation des Phänomens der »Akkommodation«, also: der »Anpassung«. (Die Bewegung des Auges von einem nahen zu einem fernen Gegenstand, oder umgekehrt, heißt in der Fachwelt: Akkommodation oder Anpassung.) Deshalb ist die nachstehende, wenn auch knappe Skizzierung der Augen-Struktur und -Funktion wesentlich:

Das Auge oder der Augapfel besitzt eine fast kugelförmige Gestalt und ist etwa 2½ cm im Durchmesser groß. Es besteht aus drei Schichten:

1. der Sklera, das heißt der harten Augapfelhaut oder Lederhaut;
2. der Ader- oder Gefäßhaut; das ist die mittlere Schicht;
3. der Retina oder Netzhaut; das ist die innere Schicht.

Die Skleraschicht ist weiß und opaleszierend, ausgenommen in deren Mittelstück, das transparent ist und Hornhaut (Kornea) heißt. Durch die Hornhaut wird das Licht an das eigentliche Auge weitergeleitet.

Die Gefäßhautschicht enthält die Blutgefäße, die das Blut ins Auge und aus ihm heraus leiten. Gerade hinter der Hornhaut wird die Aderhaut oder Gefäßhaut sichtbar und heißt jetzt Iris oder Regenbogenhaut, mit der Pupille im Zentrum. Unmittelbar hinter der Iris sitzt die Augenlinse (auch wohl: Kristallinse), die das Licht »sammelt«, sowie es durch die Pupille fließt, und es dann auf die Retina brennpunktartig überträgt bzw. darauf einstellt. Rund um die Augenlinse formt sich die Gefäßhaut zu Falten, die als die Ziliarfortsätze bekannt sind, und diese wiederum enthalten den Ziliarmuskel. Letzterer ist mit der Augenlinse mittels eines kleinen Bandes (Ligaments) verknüpft, so daß die Tätigkeit des genannten Muskels die Kontraktion und Expansion (Zusammenziehung und Ausdehnung) der Augenlinse kontrollieren kann. Die Retina (Netzhaut) als Innenschicht ist tatsächlich eine Fortsetzung des Sehnervs (an der Rückseite des Auges). Sie ist überaus dünn und zerbrechlich. Auf sie werden die Bilder von Objekten in der Außenwelt innerhalb des Gesichtsfeldes geworfen. (Ist die Netzhaut zerstört, wird Sehen eine Unmöglichkeit.)

Hat man sich diese Fakten »einverleibt«, so wird es ein leichtes, den wirklichen Sehvorgang zu verstehen: Lichtstrahlen passieren die Hornhaut; die äußeren Strahlen werden von der Pupille abgeschnitten, und lediglich die verbleibenden zentralen Strahlen dringen tatsächlich ins Augeninnere ein. Diese zentralen Strahlen passieren die Augenlinse, die dank ihrer konvexen (nach außen gewölbten) Gestalt diese Strahlen veranlaßt, auf der Netzhaut zu konvergieren (zusammenzulaufen), mit der Folge, daß sich ein umgekehrtes Bild formt. Dieses Bild wird vom Sehnerv dem Gehirn übermittelt, und das Ergebnis ist das echte Sehen.

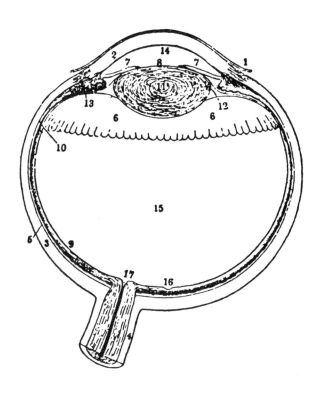

Abb. 1

Ansicht des menschlichen Auges, waagrecht geteilt, durch die Mitte:

1. Bindehaut; 2. Hornhaut; 3. Sklera (harte Augapfel- oder Lederhaut); 4. Scheide des Sehnerven; 5. Gefäßhaut (Aderhaut); 6. Ziliarfortsätze; 7. Iris (Regenbogenhaut); 8. Pupille; 9. Retina (Netzhaut); 10. Vordere Grenze der Netzhaut; 11. Augenlinse; 12. Aufhängeband; 13. Ziliarmuskel; 14. Vorderkammer; 15. Glaskörper; 16. gelber Fleck; 17. blinder Fleck.

(Entnommen aus Furneaux & Smart's »Human Physiology« – »Physiologie des Menschen«)

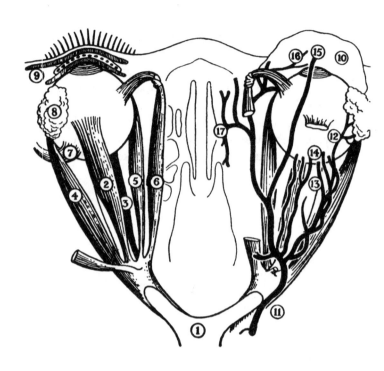

Abb. 2

Ansicht der Augäpfel von oben, so daß die Muskeln und Adern sichtbar
werden.

1. Sehnerv; 2. Oberer Rektus-Muskel; 3. Unterer Rektus-Muskel;
4. Äußerer Rektus-Muskel; 5. Innerer Rektus-Muskel; 6. Oberer
schräger Muskel; 7. Unterer schräger Muskel; 8. Tränendrüsen; 9.
Augenlid im Schnitt; 10. Augenlid von innen; 11. Ader in der Augen-
höhle (Infra-orbitale Arterie); 12. Abzweigung zur Tränendrüse; 13.
Abzweigung zur Netzhaut (Retina); 14. Abzweigung zur Iris (Regenbogenhaut); 15. Abzweigung zum oberen Augenlid; 16. Abzweigung
zur Augenbraue; 17. Abzweigung zur Nasenhöhle.

Wenn in der genannten Kette irgend eines der Glieder ausfällt, ist normales Sehen ein Ding der Unmöglichkeit.

Diese Einzelheiten müssen, als unbedingt wissenswert, erfaßt werden, um Struktur und Funktion des Auges zu begreifen. Dann ist der Leser in der Lage, die grundlegende Divergenz zwischen der alten und der neuen Richtung unter den Augenärzten der Welt zu würdigen, die sich um den Akt der Anpassung (Akkommodation) dreht.

Fehlerhaftes Sehen und Akkommodation

Blickt das Auge auf ein Objekt in einiger Ferne, so ist der Abstand zwischen Augenlinse und Netzhaut geringer als normal, dagegen größer als normal, wenn der Gegenstand dem Auge nahe ist.

Die Art, wie diese Abstandsänderung zwischen Linsen und Retina zustande kommt, wird in medizinischen Lehrbüchern auf die Ausdehnung und Zusammenziehung der Augenlinse zurückgeführt, als Folge der auf die Linse einwirkenden Tätigkeit des Ziliarmuskels.

Dieser Grundüberzeugung zufolge ändert das Auge als Ganzheit seine Form nicht, sondern lediglich die Augenlinse.

Die Experimente von Dr. Bates haben es indessen außer allen Zweifel gestellt, daß sich die Gestalt des Auges während der Akkommodation ändert, und zwar als Folge der Aktion der äußeren Augapfelmuskeln, wozu die Fähigkeit gehört, das Auge in sämtlichen Richtungen zu bewegen: nach oben, unten, zur linken und rechten Seite hin, usw. Es wurde herausgefunden, daß diese Muskeln die rückwärtige Partie des Auges nach der Linse hin bewegen, sobald ein entfernteres Objekt angeblickt wird, und zwar mittels der Kontraktion gewisser Partien der in Rede stehenden Muskeln. Dadurch wird die Form des Auges modifiziert, nämlich etwas kürzer, dagegen etwas länger, falls der betrachtete Gegenstand in der Nähe ist. Das erinnert an analoge Änderungen bei einer Kamera, die den Objekten »angepaßt« wird.

Macht man sich klar, daß Kurzsichtigkeit einen Zustand bedeutet, bei dem der Augapfel länger ist, und Weitsicht sowie Alterssicht Veränderungen darstellen, wo der Augapfel entlang seiner Längsachse kontrahiert wird (das heißt entlang der Linie zwischen Linse und Retina), dann erhellt sogleich, daß von Dr. Bates' Standpunkt aus diese Zustände lediglich das Ergebnis unvollkommener Akkommodation sind, infolge der fehlerhaften Tätigkeit der äußeren Augenmuskeln. Im Fall der Kurzsichtigkeit wird das Auge ja in einer Position fixiert, die das Sehen entfernter Objekte schwierig macht, während bei Weitsicht und Presbyopie (Alterssicht) das Auge in einer Lage verharrt, die das genaue Erfassen naher Gegenstände erschwert.

Kurz und gut: Dr. Bates' Bemühen führte ihn zu der Schlußfolgerung: Alle Fälle schlechten Sehens sind das Resultat von anstrengender Anspannung, die auf die äußeren Augenmuskeln einwirkt, und das wiederum nötigt den Augapfel, seine Gestalt zu ändern.

Das also ist das fundamentale Prinzip des Bates-Systems. Es darf der Anspruch erhoben werden, daß sich mittels Anwendung von Methoden, die die Spannung oder Anstrengung der Augenmuskeln beheben, sämtliche Zustände von Sehdefekten eliminieren lassen!

In seinem Buch: »Perfect Sight without Glasses« (»Vollkommenes Sehen ohne Brille«) gibt Dr. Bates einen detaillierten Bericht über seine Experimente, um seine Theorie zu beweisen. Der diametrale Gegensatz seiner Überzeugung gegenüber der alten Richtung, im Bund mit der Botschaft neuer Hoffnung bzw. der Ermutigung für alle an Sehstörungen Leidenden, findet voll und ganz seine Rechtfertigung in den wunderbaren Erfolgen, die Tag für Tag in USA und Großbritannien mittels der Bates-Methode erzielt werden.

3. Kapitel

Weshalb Brillen schädlich sind

Wollen wir der Ursache der Sehstörungen näherkommen, müssen wir uns daher den äußeren Augenmuskeln zuwenden. In der Vergangenheit betrachtete man diese lediglich deshalb als wertvoll, weil sie dem Auge helfen, sich zur Seite bzw. nach oben oder nach unten usw. zu wenden. Daß sie aber auch das Auge zwingen, beim Sehen dauernd seine Gestalt zu wechseln, wurde nicht allgemein erkannt oder akzeptiert. Die Folge war, daß sämtliche Versuche, die Ursache von Kurz-, Weit- und Alterssicht usw. aufzuspüren, zu der irrtümlichen Schlußfolgerung führten, diese Defekte (bekannt als solche, die auf Änderungen in der Gestalt des Augapfels zurückgehen) müßten der Art nach organisch (und permanent) sein, als Folge davon, daß die Augen Bedingungen ausgesetzt würden, die sie schädlich beeinflußten. Beispielsweise: schlechtes Licht, künstliches Licht, schlechtes Licht in Kinos, bei Fernsehvorführungen, übermäßiges Lesen und Studieren usw.

Vom neugewonnenen Gesichtspunkt her hat sich aber wieder und wieder der Nachweis führen lassen, daß ungünstige Arbeitsbedingungen und dergleichen durchaus nicht fehlerhaftes Sehen hervorzurufen vermögen. Alles, was solche Verhältnisse bewirken können, ist: eine bereits vorhandene Tendenz in Richtung auf Sehstörungen zu verschlimmern, und zwar infolge angespannter (angestrengter) und zusammengezogener (kontrahierter) Kondition der äußeren Augenmuskeln, so daß das, was man durchweg als Ursache der Sehstörung annimmt, lediglich einen sekundären Faktor darstellt.

Wenn man den Sitz der Störung also nicht kennt und annimmt, sobald sich Kurz- oder Weit- oder Alterssichtigkeit einstellt, existiere kein Mittel, wodurch das Auge in den Normalzustand zurückgeführt werden könne, dann ist es kein Wunder, daß sich die augenärztliche Fachwelt ausschließlich mit dem Problem befaßt hat, wie man dem Patienten am besten helfen werde, seine Störung in einer für ihn angenehmsten Weise zu beseitigen. Zu diesem Zweck führte man die Brillen ein.

Sobald dem Betreffenden passende Gläser verschrieben wurden, meint der Spezialist, alles getan zu haben, was in seiner Macht liegt, um die Augenfehler zu bekämpfen. Und das stimmt sogar, recht verstanden, wörtlich. Aber ein Augenblick Nachdenken offenbart: Indem die Brille befähigt, klarer als vorher zu sehen, so daß die betreffende Person wähnt, die Sehstörung sei nun überwunden, lullt sie (die Brille) in trügerische Selbstzufriedenheit ein. Ist es doch ganz natürlich, daß man sich dann einbildet: Wenn ich besser sehen kann, dann müssen ja auch wohl meine Augen besser geworden sein! Erst nach jahrelangem Tragen von immer stärker werdenden Brillen geht einem ein Licht auf, daß das ständige Tragen von Gläsern, statt die Augen zu bessern, deren Zustand nur noch verschlimmert hat.

Ja, wozu sind dann Brillen nütze? Bestenfalls liefern sie ein leicht zugängliches, rasch wirkendes Mittel, gestörtes Sehen zeitweilig zu vervollkommnen. Aber sie als dauernde Hilfe beim Sehen zu betrachten ist ganz ungerechtfertigt.

Um das voll und ganz zu begreifen, bedarf es nur der Einsicht, daß vom Zeitpunkt des Brilletragens an der gesamte natürliche Sehvorgang »aus den Angeln gehoben« wird.

Statt daß man dem Auge die Möglichkeit bietet, sich sowohl auf nahe als auch auf entferntere Objekte einzustellen, wird diese Akkommodation in starrer, unmodifizierbarer Weise mittels der Gläser verwirklicht. Das Ergebnis ist dann, daß die Muskelanspannung (bzw. Muskelanstrengung) der Augen, welche die Anpassung zuallererst verhinderte, noch verstärkt wird, weil die Brille sie zur Einhaltung einer starren Lage zwingt.

Das erklärt, weshalb das dauernde Sichverlassen auf Brillen stets die Neigung zur Verschlimmerung von Sehstörungen hervorruft. Nicht nur wird die wahre Ursache nicht beseitigt, nein, sie wird durch Einführung dieser »Seh-Hilfen« noch intensiviert bzw. verhängnisvoll beeinflußt. Gleichzeitig unternimmt man keinerlei Versuch, die künstlichen Bedingungen zu ändern, die auf bereits strapazierte Augenmuskeln noch einen weiteren anspannenden Druck ausüben. So finden wir: Die Praxis, Brillen zu verschreiben, ist an sich die Hauptursache für die stetige Zunahme der Sehstörung, die die Gläser doch gerade hatten beseitigen sollen.

Brillen und natürliche Behandlung

Sobald jemand erst einmal erkannt hat, daß Brillen einen Dauerzustand bewirken, der auf Grund natürlicher Mittel nur kurze Zeit dauern würde, wird er begierig sein, sich mit diesen neuen Behandlungsmethoden vertraut zu machen. Aber er wird dennoch meinen, es sei zuviel verlangt, die Gläser sofort abzulegen und die Anfangsperiode durchleiden zu müssen, die unvermeidlich zwischen Behandlungsbeginn und der Zeit ist, wo hinreichende Besserung im Augenzustand befähigt, sich ohne Brille zurechtzufinden.

Indessen gilt: Es ist nicht absolut notwendig, das Tragen von Brillen gleich nach Beginn der Behandlung aufzugeben (obwohl dann die raschesten und besten Ergebnisse zustande kommen). Zahlreiche Patienten wurden geheilt, die auch während der Behandlungszeit meist bei den Brillen verblieben waren. Sie merkten, sie konnten immer schwächere Brillen benutzen, je nach dem Fortschreiten der Behandlung, bis der Zeitpunkt da war, wo sie überhaupt keine mehr benötigten.

Also: Während der Behandlung mögen Brillen auch wohl weiter getragen werden, aber lediglich, um beruflichen Arbeiten, Haushaltspflichten und dergleichen gewachsen zu sein. Dagegen in den Mußestunden sollte man sie nicht benutzen, und ebensowenig, wenn die zur natürlichen Behandlung gehörigen Übungen usw. auszuführen sind. Selbst wenn man nur für einige Stunden am Tag auf die Benutzung der Brille verzichtet, befähigt dies die Augen, mehr und mehr zu natürlicher Verhaltensweise überzugehen, und nach mehreren Wochen Behandlung ist der Patient von der erheblichen Besserung seines Augenzustandes angenehm überrascht. Das wird ihm erst recht klar, wenn er erkennt, daß die bisherigen Gläser inzwischen viel zu stark wurden. Dann sieht man sich genötigt, eine alte, schwächere Brille aus Schubladen oder Schränken hervorzukramen, in denen sie halbvergessen jahrelang gelegen hatte.

Man sieht also: Die neuen Methoden hindern den Patienten nicht in seiner Alltagsarbeit. Sie sollen in seiner Freizeit zur Ausführung gelangen, im eigenen Heim, und dann, wenn es einem am bequemsten ist. Sobald einmal die Grundlage der Behandlung erklärt und genug an Weisungen gegeben wurde, um jeweils das Richtige in bezug auf die unterschiedlichen Sehstörungen zu treffen, kann sich der Leidende sogleich ans Werk machen, um sein Sehen zu verbessern. Der Lohn seiner Mühen besteht dann in stufenweiser und stetiger Besserung, die er im Zustand seiner Augen wahrnehmen wird.

Selbstverständlich hängt es vom Grad der derzeitigen Sehstörung ab, ferner von der Zeitspanne, in der die Störung sich entwickeln konnte, wie schnell oder langsam die Rückkehr zum normalen Sehen möglich ist. Je längere Zeit eine Brille getragen wurde, um so länger währt es, bis die quälende Anspannung durch das Brillentragen in den Augen selbst, in den Muskeln und den damit verknüpften Nerven stark gemildert bzw. beseitigt werden kann.

Wenn die natürliche Behandlung regelmäßig und korrekt durchgeführt wird, dann folgt die Besserung des Augenzustandes in allen Fällen! Diese Feststellung findet ihre volle Rechtfertigung durch die günstigen Resultate der Praktiker nach der Bates-Methode in allen möglichen Ländern.

4. Kapitel

Die Ursachen fehlerhaften Sehens

1. Zu große Anstrengung im Hirn

In den vorangegangenen Kapiteln wurde die Unangemessenheit der alten Behandlung von Sehstörungen besprochen; und die Ursache von Kurz-, Weit- oder Alterssichtigkeit wurde auf die übermäßige Anspannung und Anstrengung der die Augen umschließenden Muskeln zurückgeführt.

Nunmehr ist es angebracht zu überlegen, wie es den betreffenden Muskeln möglich ist, in einen angespannten und zusammengezogenen Zustand zu geraten; danach werden die verborgenen Ursachen schlechten Sehens ans Tageslicht kommen.

Dr. Bates stellt klipp und klar fest, daß er für die wahre Ursache sämtlicher Sehdefekte die hirnliche Anstrengung bzw. übermäßige Anspannung hält, die eine entsprechende physische Anspannung der Augen sowie ihrer Muskeln und Nerven zur Folge hat, was dann zu schlechtem Sehen führt.

Er ist überzeugt: Ein ausgeprägt nervöses Naturell mit der Neigung zu mentaler Anspannung und Anstrengung beim Denken ist die Ursache der meisten Fälle ernsthafter Sehstörungen. Nach ihm gehen die geringeren Störungen auf zu viel Druck im Hirn und Nervensystem infolge Überarbeitung, Angst, Herzeleid und dergleichen zurück. Der Grad der Sehbeeinträchtigung variiert in all diesen Fällen mit dem Temperament und dem Nervensystem des Betreffenden.

In Verfolg dieser seiner Theorie hat Dr. Bates seine Bemühungen auf Behandlungsmethoden konzentriert, die den Zustand der Hirn-Überanstrengung beseitigen, und das Stichwort der »Bates-Methode« ist daher: Entspannung!

Ist für des Patienten Geist Ausspannung möglich, dann entspannen sich auch seine Augen und die mit ihnen verbundenen Muskeln und Nerven. Ebenso gilt umgekehrt: Lassen sich Augen und zugehörige Nerven und Muskeln entspannen, dann entspannen sich auch Geist und Hirn ihrerseits. Wir werden also inne: Die Bates-Methode bezweckt hirnliche und körperliche Ausspannung. Nur dann ist richtiges Sehen möglich, wenn dieser komplementäre Zustand von Geist und Körper erreicht werden konnte.

Der wunderbare Erfolg von Dr. Bates' System enthüllt, daß seine Konzeption in der Hauptsache das Rechte trifft. Aber es hat doch auch manche Fälle, insbesondere solche seit langer Zeit, gegeben, wo die Besserung der Sicht sehr langsam oder gar nicht erfolgte. Nach der Überzeugung des Verfassers gehen diese Fehlschläge auf die Vernachlässigung körperlicher Faktoren zurück, denen eminente Bedeutung zukommt.

Die Vorstellung, nur mentale Anstrengung führe zu übermäßiger und drückender Anstrengung der Augenmuskeln, beweist einen Mangel an Verständnis für die Arbeitsweise des menschlichen Gesamtorganismus. Denn so viel ist doch klar: Wenn Sehfehler ihre Ursache in Augenmuskelüberanstrengung haben, dann stellt jeder Faktor (ob mental oder physisch), der eine solche Muskelanspannung hervorrufen kann, eine potentielle Ursache fehlerhaften Sehens dar!

Gerade in diesem Übersehen noch weiterer möglicher Ursachen für die Anspannung bzw. Anstrengung offenbart die Bates-Methode, daß auch sie ihre Grenzen hat, so daß sie nicht als vollständiges System der natürlichen Augenbehandlung gelten darf.

Daher ist es das Ziel des vorliegenden Buches, die Mängel der Bates-Methode zu beheben und eine allumfassende Methode zu schaffen, die mit jeder Art von Augenstörung auf bestmögliche und streng logische Art fertig wird.

2. Nahrung

Auf der Suche nach möglichen körperlichen Ursachen für die übermäßige Anspannung bzw. Anstrengung von Augenmuskeln muß man sich stets vergegenwärtigen, daß das Auge ja nur ein Teilstück des Gesamtkörpers ist und daß es – als solches – an jeglichem Zustand, der sich auf den Körper als Ganzes bezieht, teilhat. Anders formuliert: Das Auge als etwas Abgesondertes, als Eigengesetzlichkeit aufzufassen, die restlos aus sich selbst heraus funktioniert, ist ganz abwegig.

Bei unserer Untersuchung haben wir demzufolge solchen Faktoren unsere Aufmerksamkeit zuzuwenden, die sich für den Gesamtorganismus als schädlich erweisen können.

Man ist sich seit einiger Zeit darüber im klaren, daß solche Krankheiten wie Diabetes und Nephritis (Zuckerkrankheit und Nierenentzündung) auch auf die Augen schädlich wirken. Auch geben die Ärzte zu, daß einige Fälle von Grauem Star ihren Ursprung in der Zuckerkrankheit haben. Ferner wissen die meisten Laien, daß Flecke vor den Augen Begleiterscheinungen von Leberstörungen und solchen der Verdauungsorgane sind. Aber die bemerkenswert intime Beziehung zwischen den Augen und jeglichem Stück des Körpers wird bis jetzt nur reichlich wenig gewürdigt; ausgenommen sind da nur die Kenner der Wissenschaft der Iriskunde (»Iridologie«).

Es ist das Verdienst der Pioniere der Iris-Diagnostik, darzutun, daß sich schlechthin jede Änderung, ob funktional oder organisch, in irgendeinem Organ oder Teil des Körpers in den Augen widerspiegelt, und zwar durch eine Änderung der Farbe in dem Teil der Iris (Regenbogenhaut), der unmittelbar mit jenem Organ oder Teil verknüpft ist.

Diese wundersame intime Verwandtschaft zwischen Iris und übrigem Körper ist das Resultat eines geradezu märchenhaften Netzwerks von Zwischenverbindungen zwischen den Augennerven und dem cerebro-spinalen (das heißt Hirn und Rückenmark betreffenden) Nervensystem und den anderen relativ selbständigen Nervensystemen.

Wenn nun aber die Augen durch wechselnde Zustände in entfernten Körperteilen affiziert werden – und das werden sie! –, wieviel mehr trifft das zu, sobald gar der Gesamtorganismus betroffen ist.

Zahlreiche Praktiker der Naturheilmethode haben herausgefunden, daß Entzündungen an den Augen, wie etwa der Bindehaut, der Regenbogenhaut und der Hornhaut (Konjunktivitis, Iritis und Keratitis) nicht als Erkrankungen zu betrachten sind, die lediglich die Augen und nichts sonst betreffen (wie das die Ärzte noch allgemein glauben), sondern als bloße Symptome eines ganz allgemeinen vergiftungsartigen Zustandes des Körpers infolge von zuviel Stärke-, Zucker- und Protein-Verbrauch usw. Gleichzeitig haben diese Praktiker erkannt, daß der Graue Star nur ein Ausdruck einer tiefer sitzenden und daher chronischen Manifestation desselben Grundzustandes des Körpers ist.

Des Verfassers eigene Erfahrung hat ihn gelehrt, daß nicht allein falsche Ernährung eine Wirkung auf die Augen selbst ausübt (wie dies bereits veranschaulicht wurde), sondern auch auf die Vorgänge, durch die das Sehen voll und ganz zustande kommt (und das ist etwas ganz anderes!). Denn die die Augen umgebenden Muskeln und Blutgefäße nehmen an den hindernden oder verstopfenden Vorgängen teil, die im Gesamtkörper auf Grund von unvollkommenem Metabolismus (Veränderungsmechanismus) entstehen, und diese wieder sind Ergebnis unausgeglichener bzw. zu konzentrierter Diät.

Sowie erst einmal Muskeln und Blutgefäße belastet bzw. verstopft sind, ist angemessene Entwässerung unmöglich, und die Muskeln werden hart und zusammengezogen, statt weich und geschmeidig zu sein. Das hat am Ende die Wirkung, vollkommene Akkommodation zu verhindern. Eine unmittelbare Folge ist, daß später auch die Gestalt des Auges betroffen wird. Das Endresultat ist fehlerhaftes Sehen.

Viele Fälle von einfacher Kurz- und Weitsichtigkeit sowie von Astigmatismus (Liniensehen = kleine Linien statt Punkte sehen) gehen auf nichts anderes zurück als auf obige Faktoren, Alterssicht geht sogar ausnahmslos darauf zurück!

Bisher wurde angenommen: Wenn jemand ein mittleres Alter erreicht, dann ändern die Augen ganz natürlicherweise ihre Form, das heißt, sie ziehen sich geringfügig zusammen und machen so das exakte Sehen naher Gegenstände schwieriger, was Weitsichtigkeit bedeutet.

Das hält man für eine Unbequemlichkeit, aber für etwas Unvermeidliches, für den Preis, den wir dafür zu zahlen haben, daß wir schon so lange auf der Welt sind. Die Schwierigkeit soll durch das Tragen konvexer Brillen behoben werden.

Sehr wenige unter den Millionen Alterssichtigen (oder wenige von ihren ärztlichen Beratern) erkennen, daß falsche Ernährungsgewohnheiten seit 45 oder 50 Jahren die Ursache dieser Änderung der Sehstärke darstellen. Und doch ist das zweifellos der Fall. Viele Alterssichtige können normales Sehen nur durch Akzeptierung einer besonderen Diät zurückgewinnen sowie durch Ausführung einiger weniger, zugleich einfacher Augenübungen.

Um die lebenswichtige enge Beziehung zwischen Nahrung und Sehfähigkeit zu beweisen, bedarf es lediglich der Feststellung, daß zahlreiche beglaubigte Fälle schriftlich festgehalten wurden, wo Sehfehler ganz einfach durch Fasten geheilt werden konnten.

Die gesteigerte Eliminierung von Störungsfaktoren infolge des Fastens hat die Wirkung, die aufgespeicherten Vorräte an Abfallprodukten freizumachen, die Muskeln und Blutgefäße rund ums Auge bisher verstopft haben. Die Folge ist, daß die Muskeln sich wieder entspannen und das Sehen gebessert werden kann.

3. Ungeeignetes Blut und fehlerhafte Nervenleitung

Die beiden Hauptursachen defektiven Sehens sind nun erwähnt worden: hirnliche Überanstrengung sowie falsche Ernährung. Aber es existiert noch ein dritter Faktor, der das Sehen beeinträchtigen kann, das ist eine nicht ganz normale Blut- und Nervenbahn. Werden die Augen nicht mit vollwertigem Blut und Nervenkraft versorgt, lassen sich die Sehvorgänge nicht einwandfrei ausführen. Somit ist jeglicher Faktor, der die Blutgefäße oder Nerven an beziehungsweise in den Augen zu beeinflussen vermag, eine potentielle Ursache fehlerhafter Sicht.

Selbstverständlich haben Hirnanstrengung und falsche Ernährung mit richtiger Blut- und Nervenversorgung der Augen zu tun, indessen gibt es einige gänzlich mechanische Wege, auf denen das bewirkt werden kann.

Der Hauptsitz des mechanischen Zusammenhangs mit Blut und Nerven der Augen liegt in den Muskeln, die den oberen Teil des Rückgrats (also in der unteren Halspartie) bedecken.

Werden diese Muskeln kontrahiert (zusammengezogen) oder infiltriert (von feinen Substanzen durchdrungen), dann führt das zu dem Effekt, daß sie die mit ihnen verknüpften Rückenwirbel um ein geringes von der Stelle rücken (sie rufen die sogenannten Subluxationen [Verstauchungen, Verzerrungen] hervor), und diese Erscheinungen verhindern den direkten Fluß von Nervenkraft vom Sympathetischen Nervensystem zu den Augen hin. Außerdem werden die vasomotorischen (gefäßbewegenden) Nerven, die die Größe der kleinen Adern kontrollieren, affiziert, wodurch der Blutzufluß zum Hirn reduziert wird.

In allen Fällen fehlerhaften Sehens ist es demzufolge erforderlich, sicherzustellen, daß die Muskeln am unteren Nacken völlig gelockert und entspannt sind und daß es keine Verschiebungen usw. am Rückenmark gibt. Daher ist Rückenmarksbeeinflussung (osteopathische oder chiropraktische, also: auf die Knochen gerichtete bzw. mit kraftvoller Hand ausgeführte Behandlung) von höchstem Wert. Tatsächlich hat man zahlreiche Fälle schlechten Sehens ganz einfach durch bloße Behandlung des Rückenmarks abzuheilen vermocht! Das beweist die große Wirkung, die die kontrahierten Nackenmuskeln auf die Versorgung der Augen mit Blut und Nervenkraft ausüben.

Ein weiterer wohl zu bedenkender Punkt ist, daß in sämtlichen Fällen defekten Sehens, gleich aus welchen Ursachen, der Druck auf Augen und deren Muskeln, Blutgefäße und Nerven (meist infolge langen, ständigen Brillentragens) an die Muskeln am unteren Nacken weitergegeben wird, so daß auch diese ihrerseits sich zusammenziehen. Es darf daher ganz allgemein festgestellt werden, daß alle an fehlerhaftem Sehen Leidenden steife, kontrahierte Nackenmuskeln aufweisen.

Nach all dem liegt es auf der Hand: Eine völlige Rückkehr zu normalem Sehen ist unmöglich, wenn diese kontrahierten Nackenmuskeln nicht entspannt werden, wodurch der Wert einer richtigen Nackenbehandlung überwältigend klar zutage tritt.

5. Kapitel

Die Behandlung fehlerhaften Sehens
Ein umfassendes System

Nachdem die verschiedenen Faktoren deutlich geworden sind, die schlechtes Sehen verursachen, können wir nun zu dem Teil des Problemkomplexes übergehen, der es mit der darauf bezüglichen Naturheilmethode zu tun hat.

Weil es drei Hauptursachen für fehlerhaftes Sehen gibt, existieren auch drei deutliche Zugänge zu allen Fällen, die für die natürliche Heilweise in Frage kommen. Insofern es jedoch unmöglich ist, eindeutig festzustellen, ob ein spezieller Fall auf nur eine Ursache zurückgeht (ist es doch mehr als wahrscheinlich, daß zwei oder gar alle drei mitwirken), läuft das erfolgreichste Behandlungssystem auf ein solches hinaus, das gleichzeitig alle drei bekämpft.

Bis zum heutigen Tag hat kein solches umfassendes System existiert. Die Bates-Methode hat sich ausschließlich mit dem erstgenannten Faktor befaßt, der Hirn-Anspannung, aber die anderen beiden Faktoren leider ignoriert. Praktiker der Natürlichen Heilmethode haben auf Diät und Fasten als bestgeeignete Methoden Wert gelegt, durchweg unter Vernachlässigung der Bates-Methode. Andererseits nehmen Osteopathen und Chiropraktiker bei der Behandlung von Sehgestörten einseitig nur Zuflucht zu Behandlung der Rückenwirbel, doch zu nichts sonst.

Jede dieser drei einseitigen Naturmethoden hat wundervolle Heilerfolge zu ihren Gunsten aufzuweisen, insbesondere die Bates-Methode, aber es hat auch Fehlschläge gegeben; der Grund dafür ist nicht weit zu suchen: alle drei haben nur je einen Faktor betont, unter Ausschluß der zwei anderen. Die Konsequenz war: Nur in den Fällen, die auf den betreffenden einseitigen Faktor zurückzuführen waren, ist völlige Heilung möglich gewesen.

Auf Grund persönlicher Erfahrung ist der Verfasser zu der Einsicht in den Wert aller drei Methoden gelangt. Indem er deren wertvollste Erkenntnisse im vorliegenden Buch zu einer Ganzheit bzw. Einheit zusammenschmolz, konnte er ein wirklich umfassendes Behandlungs- bzw. Heilsystem schaffen, das auf praktische Art mit jeglicher Augenstörung fertig wird.

Die Instruktionen, die die unterschiedlichen Übungen und Maßnahmen gegen Sehfehler betreffen, sind allesamt in der Absicht gegeben, daß man sie zu Hause und zu passender Zeit ausführen kann.

Offensichtlich ist es ein Ding der Unmöglichkeit, spezielle Angaben über eine für sämtliche denkbaren Fälle gültige Diät zu machen oder mehr zu tun, als den Wert der Rückenwirbelbehandlung für die hervorzuheben, die sich dieser Therapieart, wo notwendig, unterziehen können. Darüber hinaus jedoch ist ein Kapitel der Diät gewidmet, damit die Leser die Möglichkeit erhalten, für sich eine ganz individuelle Kost zu planen. Um den Bedürfnissen jener entgegenzukommen, die sich keiner länger dauernden Rückenwirbelbehandlung unterziehen möchten, wird eine Anzahl von heilsamen Übungen angegeben, um kontrahierte Nackenmuskeln lockern zu helfen. (Das ist im Hinblick auf früher Gesagtes von beträchtlichem Wert für jeden Leser.)

Daher darf der Hoffnung Ausdruck verliehen werden, daß sich alle, die sich nach den folgenden Methoden behandeln lassen wollen, bewußt bleiben, wie sehr die Ursache ihrer Sehstörungen eine dreifache sein kann. Das sollte sie dazu führen, gleichviel Aufmerksamkeit der Diät und den Nackenlockerungsübungen wie auch den verschiedenartigen Methoden zu schenken, wodurch die Augen mit ihren Muskeln und Nerven entspannbar sind. Einzig und allein auf solche Weise läßt sich normales Sehen wiedererlangen.

Augen und Entspannung

Bevor aber normales Sehen von neuem möglich wird, sind die Augen und die sie umgebenden Nerven und Muskeln völlig zu entspannen. Jegliche Anspannung, Anstrengung oder Druck (auf die Augen usw.) muß beseitigt werden, weil das die Augen starr fixiert halten und ein starrendes Sehen hervorrufen würde; und das wäre das erste Anzeichen fehlerhaften Sehens.

Das normale Auge bewegt sich immer und ruht nie! Dauernde Bewegung des Auges ist für seine gesunde Tätigkeit absolut wesentlich. Das jedoch wird ausschließlich durch völlige Entspannung in all seinen Teilen erreicht.

Um bei Sehgestörten ebenfalls solche Entspannung der Augen zustande zu bringen, hat Dr. Bates zwei höchst bedeutsame Methoden eingeführt, bekannt als »Palming« und »Swinging« (Händeauflegen und Schwingen).

6. Kapitel

Verschiedene Hilfen beim Entspannen

1. »Palming« (gesprochen: Paaming), Handflächenbenutzung

Beim Schlafen ruhen wir den Körper aus und stellen für die Aufgaben des nächsten Tages unsere Nervenkraft wieder her. Aber in den Fällen, wo Organe einen unternormalen Zustand aufweisen, ist ihnen nicht die Möglichkeit geboten, es mit den glücklicheren Gliedern unserer Lebensökonomie aufzunehmen.

Dann ist es erforderlich, zu zusätzlichen Methoden Zuflucht zu nehmen, um in dem leidenden Organ Ruhe und Entspannung hervorzurufen. Im Falle von Augenleiden ist absolute Ruhe eine halbe bis eine ganze Stunde, oder besser noch länger, an jedem Tag unbedingt nötig. Dadurch soll eine vollere und bewußtere Entspannung der Augen und der sie umgebenden Gewebe erzielt werden, als die Entspannung durch bloßen Schlaf zustande bringt. Oft ruhen wir unsere Augen am Tage aus, namentlich wenn sie sehr ermüdet sind, indem wir sie für einen Augenblick schließen. Das Davorlegen der Handflächen (»Palming«) ist lediglich eine Vervollkommnung dieses ganz natürlichen und unbewußten Verhaltens.

Um die Handflächen zu verwenden (siehe Bild 3), ist es notwendig, so bequem wie nur möglich im Lehnstuhl,

Abb. 3

auf einer Couch oder dergleichen zu sitzen. Entspanne
dich so weitgehend wie nur möglich, mache es dir so
gemütlich und lockere dich, soviel du nur kannst. Dann
schließe deine Augen und bedecke sie mit den Händen,
indem du sie zum Teil überkreuzt, so daß die linke
Handfläche über dem linken Auge und die rechte über
dem rechten Auge liegt, wobei beide Hände etwas in

Untertassenform zu bringen sind. Dabei ist jedoch die Nase frei zu halten. Keinesfalls dürfen die Augen selbst gedrückt (gepreßt) werden.

Wenn die Augen so völlig bedeckt sind, lasse die Ellbogen auf die Knie herunterfallen, die ziemlich eng aneinander liegen sollen. Diese Position ist bequem. Sobald der Leser sich dazu verstanden hat, nimmt er diese Haltung immer wieder ganz von selbst an. Sollte er indessen eine andere Art des Sitzens während der Bedeckung der Augen vorziehen, so steht ihm das frei.

Entscheidend ist: Die Augen müssen geschlossen bleiben und so entspannt wie nur möglich, von den Handflächen bedeckt!

Auf diese Art werden die Augen weit wirkungsvoller entspannt als nach irgend einer sonstigen Methode. Je schwärzer die während der Händeauflegung gesehene Farbe ist, um so entspannter ist der Augenzustand.

Aber ebensosehr wie die Augen muß auch der Geist ausruhen. Der Patient sollte sich während der Übung also nicht mit anstrengenden Problemen befassen oder auch über den Zustand seiner Augen nachsinnen. Nein, er sollte vielmehr trachten, die Schwärze zu erfassen, die tiefer und tiefer wird, oder, wenn ihm das mehr behagt, den Geist über alle möglichen angenehmen bzw. interessanten Dinge hinschweifen lassen.

Wird das zwei- oder dreimal pro Tag je 10, 20 oder 30 Minuten ausgeführt – je nach der Schwere der Sehstörung –, ist die Besserung der Augen schon bald beträchtlich. Diese Entspannmethode, des »Palming« (Händeauflegen), ist eine der bedeutsamsten Errungenschaften der Naturmethode bei Behandlung von Augenleiden.

2. Schwingen (Schwenken)

Das »Palming« ruht die Augen unmittelbar aus, indem es sie entspannt; doch existiert noch eine andere Methode, den Augen und den sie umgebenden Geweben zu Ruhe und Entspannung zu verhelfen, mit besänftigender und entspannender Wirkung auf das gesamte Nervensystem. Dadurch werden Geist und Körper zugleich entspannt, und es ist zugleich eine große Hilfe gegen Augenanspannung beziehungsweise -überanstrengung geboten.

Diese Methode heißt »Schwingen« – siehe Bild 4 – und wird praktisch wie folgt verwirklicht: Stelle dich aufrecht hin, die Füße ungefähr 30 cm auseinander, die Hände lose an beide Seiten gelegt. Dann halte dich so entspannt wie nur möglich und schwinge sanft den ganzen Körper von einer Seite zur anderen, wobei du dir einbildest, du seiest das Pendel einer Uhr, und bewege dich genauso langsam. Erhebe jede Ferse abwechselnd vom Boden, doch nicht den übrigen Fuß. (Erinnere dich: der ganze Körper soll entspannt und sanft hin und her schwingen, nicht nur Kopf oder Rumpf. Es darf auch kein Beugen bzw. Sichbiegen in Taille oder Hüften erfolgen.)

Dieses sanfte Schwingen oder Schwenken bewirkt die Entspannung des gesamten Nervensystems und sollte zwei- oder dreimal jeden Tag, jedesmal 5 bis 10 Minuten lang, ausgeführt werden, oder immer dann, wenn die Augen müde sind und weh tun.

Das Schwingen muß vor einem Fenster geschehen*. Man meint dann, das Fenster schwinge in umgekehrter Richtung. Diese entgegengesetzte Bewegung von Objekten direkt im Vordergrund muß deutlich bemerkt werden. Nachdem man eine Minute mit offenen Augen geschwungen hat (diese sind entspannt zu halten, keinesfalls gestrafft oder starr), muß man die Augen schließen

Abb. 4

und sich, noch immer schwingend, die Fensterbewegung in entgegengesetztem Sinne klar und deutlich vorstellen. Dann sind die Augen für eine weitere Minute wieder zu öffnen, und so weiter und so fort, die ganze Zeit zwi-

*Um die Übung zu variieren, kann man statt eines Fensters auch ein Gemälde oder eine Uhr oder noch etwas anderes wählen. Wenn man während der Übung durchs Fenster blickt, dann betont die Bewegung von Gegenständen außerhalb des Fensters in Richtung der Schwingung die anscheinende Bewegung des Fensters in der entgegengesetzten Richtung, und gerade diese entgegengesetzte Bewegung ist so notwendig für den Erfolg der Übung.

schen Augenschließen und Augenöffnen abwechselnd, beides je eine Minute lang. (Die Augen müssen so entspannt wie nur möglich gehalten werden. Solange sie geöffnet sind, soll man während der Übung ab und zu blinzeln und flüchtige Blicke werfen.)

Wenn korrekt ausgeführt, hat diese Übung eine sehr wohltätige Wirkung auf Augen und Nervensystem, und sie ist das beste Mittel (außer der Handflächenauflegung), die Augenüberanstrengung zu bekämpfen.

(Selbstverständlich darf man Brillen weder beim Handauflegen noch beim Schwenken tragen!)

3. Blinzeln

Außer Handauflegen und Schwingen existiert eine dritte Methode der Augenentspannung: das Blinzeln.

Das normale Auge blinzelt in regelmäßigen Intervallen die ganze Zeit hindurch, wenn es geöffnet ist. Das geschieht indessen derart rasch, daß wir es nicht sehen. Aber bei den von Augenleiden Betroffenen werden die Augen fixiert und angespannt. Das Blinzeln ist dann kein unbewußter, müheloser Vorgang mehr, sondern es erfolgt bewußt, unter Anstrengungen und spasmodisch (krampfhaft).

Alle Augenleidenden sollten deshalb die Gewohnheit, oft und regelmäßig zu blinzeln, kultivieren, weil dies die Überanstrengung der Augen vermeiden hilft.

Lerne es, alle 10 Sekungen (ohne Anstrengung) ein- oder zweimal zu blinzeln, ganz gleich, was du dann gerade tust; insbesondere aber beim Lesen.

Dies ist ein einfacher, doch wirkungsvoller Weg, die Spannung in den Augen aufzuheben. Man wird finden, daß man dann viel mehr lesen kann als vorher, und doch ermüden die Augen bei weitem nicht so stark.

4. Sonnenschein

Der Wert des Sonnenscheins in sämtlichen Fällen fehlerhaften Sehens ist sehr groß. Allen Leidenden wird deshalb empfohlen, ihren Augen so viel Sonnenschein wie möglich zu gönnen.

Das bestgeeignete Verhalten ist: Man schließt die Augen, wendet sich der Sonne entgegen und bewegt sanft den Kopf von einer Seite zur anderen, damit die Strahlen auf alle Teile des Auges mit gleicher Intensität fallen können. Wenn möglich, soll das dreimal am Tag je 10 Minuten lang gemacht werden.

Dies hat die Wirkung, das Blut in die Augen zu ziehen und die Muskeln sowie Nerven zu entspannen. (Eine Brille darf man währenddessen nie tragen.)

5. Kaltes Wasser

Kaltes Wasser bringt erheblichen Nutzen, indem es die Augen und umgebenden Gewebe harmonisiert. Dabei ist wie folgt vorzugehen:

Beim Waschen lehne dich vor dem Trocknen über das Becken und tauche die Hände ins Wasser (die Handflächen nach oben und gewölbt), hebe die Hände voll Wasser bis etwa 5 cm an die geschlossenen Augen heran. Dann spritze das kalte Wasser vorsichtig an die Augen, also ohne Heftigkeit. Wiederhole das etwa 20mal, dann trockne dich ab und reibe die geschlossenen Augen lebhaft eine oder zwei Minuten mit dem Handtuch ab.

Dadurch werden die Augen glänzend, erfrischt und harmonisiert. Das ist sehr empfehlenswert, wenn die Augen ermüdet sind; aber auch ohne das sollte man es täglich mindestens dreimal ausführen. Das Wasser muß unbedingt kalt, nicht lauwarm sein.

Spezielle Anmerkung: Als Resultat unlängst gemachter Erfahrungen bei Patienten hat der Verfasser herausgefunden, daß Augentrost-Extrakt (Euphrasia-Extrakt) besonders wertvoll für die Erfrischung und Harmonisierung der Augen ist, darüber hinaus sehr hilfreich in Fällen verschiedenartiger Augenleiden. Die Dosierung ist 3 bis 5 Tropfen in einem Augenbad aus warmem Wasser. Man kann es abends und morgens verwenden, – oder stets abends, oder zu anderen Zeiten. Am besten ist es, das Wasser zu sieden und es dann abkühlen zu lassen, bis es gebrauchsfertig ist.

7. Kapitel

Sehhilfen

1. Gedächtnis und Phantasie

Im vorhergehenden Kapitel wurden die verschiedenen Methoden beschrieben, wie die Augen entspannt und Anspannung oder Starren der Augen behoben werden können. Jetzt kommen wir zu den genau so wichtigen Maßnahmen, durch die die Sehkraft gesteigert werden kann, so daß zuletzt völlige Wiederherstellung der normalen Sehschärfe möglich wird. Die erste dieser beiden Sehhilfen ist: Gedächtnis und Einbildungskraft.

Der Gesichtssinn ist intim verknüpft mit Gedächtnis und Phantasie. Beide spielen beim Sehen eine größere Rolle, als allgemein bekannt ist.

Ein vertrauter Gegenstand wird stets bereitwilliger ausgemacht als ein nicht vertrauter, ganz einfach, weil Phantasie und Erinnerungsvermögen uns dabei zu Hilfe kommen. Das Bild des Objekts ist unserem Geist durch frühere Assoziationen aufgeprägt worden, und die Erinnerung an diese Assoziationen (Zusammenhänge von Gedanken usw.), plus Bild, helfen uns, den Gegenstand leichter aus dem umgebenden Komplex »herauszupikken« als ein zum erstenmal erblicktes Objekt. Jeder kann diese Wahrheit selbst nachprüfen. Wir erkennen Freunde in einer Menschengruppe eher als Fremde.

Für Sehgestörte ist es daher sehr wichtig, Gedächtnis und Einbildungskraft zu pflegen. Das geschieht wie folgt:

Blicke auf ein kleines Objekt (irgend etwas), beobachte seine Gestalt und Größe, laß deine Augen die Ränder des Gegenstandes umwandern. Gewinne im Geiste ein möglichst deutliches Bild davon und dann schließe deine Augen, schau abermals auf den Gegenstand und wiederhole dieses Verfahren. (Etwa 5 Minuten täglich, natürlich wieder ohne Brille.)

Ein Wort in einem Buche (oder ein Buchstabe in einem Wort) ist gelegentlich geeigneter als ein Gegenstand. Stelle dir das Wort oder den Buchstaben ganz deutlich und schwarz vor, dann schließe die Augen, halte das Bild vor dich, öffne die Augen wieder. Wenn du dann auf den Buchstaben oder das Wort blickst, erscheint es dir schwärzer als vorher. Das ist ein Zeichen für die Besserung der Sehschärfe. Wiederhole den Vorgang mehrfach; dann ziehe andere Wörter oder Buchstaben heran.

Solche regelmäßigen Übungen führen allmählich zu bemerkenswerter Steigerung der Sehkraft.

2. Zentrale Fixierung beim Sehen

»Zentrale Fixierung« bedeutet: Bestes Sehen, wo du siehst.

Das mag absurd klingen, aber jene mit fehlerhaftem Sehen sehen nicht dort am besten, worauf sie augenblicklich hinschauen.

Infolge der ständigen Anspannung der Augen durch Brillen ist der mittlere Teil der Netzhaut (Retina) weniger fähig geworden, Bilder aufzunehmen, als die umgebenden Teile, weil nämlich nur der mittlere Teil durch diese künstlichen Sehhilfen viel beansprucht wird! Wenn man also ohne Gläser zu sehen versucht, finden die an Sehstörungen Leidenden, daß sie besser mit den Seiten ihrer Augen als in der Mitte sehen. Erst wenn die Sehkraft des mittleren Netzhautteiles wieder normal ist, das heißt, wenn die »zentrale Fixierung« erreicht werden konnte, wird normales Sehen erneut möglich.

Alle bereits beschriebenen Methoden helfen, dies hervorzubringen, doch gibt es noch weitere Arten, wie dies zuwege gebracht wird. Der beste Weg ist der: Blicke auf eine Zeile in einem Buch, dann konzentriere dich auf ein bestimmtes Wort in der Mitte der Linie. Schließe die Augen und bilde dir ein, du sähest die Zeile mit dem betreffenden Wort deutlicher und schärfer umrissen als den Rest. Laß den Rest ruhig verwischt sein. Öffne die Augen, schau auf das Wort und wiederhole die Übung. Halte das 5 Minuten durch; versuche, das betreffende Wort klarer und klarer zu erfassen, dagegen den Rest der Zeile immer verwischter.

Dann findest du bald heraus: Das spezielle Wort wird tatsächlich klarer und deutlicher als alle übrigen Wörter der Zeile, – ein sicheres Anzeichen gebesserten Sehens!

Sowie nun die Sicht sich bessert, wähle statt eines Wortes in einer Zeile vielmehr ein Teilstück eines Wortes. Du kannst dann immer kleinere Wörter und Wortteile wählen, bis du zu Einsilbern gelangst. Sobald du einen Buchstaben eines Wortes aus zwei Buchstaben dir völlig klar vorstellen kannst, dagegen den verbleibenden Buchstaben ganz verwischt und undeutlich, ist es nicht mehr weit bis zur »zentralen Fixierung«!

3. Lesen

Vieles Lesen gilt als Ursache von Augenüberanstrengung, namentlich wenn es bei schlechtem Licht ausgeführt wird. Aber in Wahrheit ist gerade das Lesen eines der geeignetsten Verfahren, die Augen aktiv und gesund zu erhalten. Lesen kann nie Sehfehler hervorrufen, ganz gleich, wieviel man jahrelang liest, vorausgesetzt freilich, man entspannt die Augen die ganze Zeit hindurch.

Leute mit normaler Sehfähigkeit vermögen bei beliebigem Licht ohne Schädigung zu lesen, aber die mit Sehfehlern Behafteten, namentlich die Brillenträger, setzen beim Lesen ihre Augen stets zusätzlicher Anstrengung (Anspannung) aus.

Gleichwohl gilt: Einer der besten Wege, normale Sicht wieder herzustellen, ist der, sie Tag für Tag allerhand lesen zu lassen, aber natürlich ohne Brille.

Wird das Lesen richtig ausgeführt, kann daraus nur Gutes entstehen; geschieht es dagegen wie allermeist, so wird das Sehen schlechter und schlechter.

Das Geheimnis des Lesens ohne Schaden ist: Man muß lesen ohne Anstrengung (Anspannung), was wie folgt vor sich geht:

Betreibe einige Minuten lang »Palming« (Handauflegen); dann nimm ein Buch oder eine Zeitung und fang an zu lesen, und zwar nur in dem Abstand, wo du am besten siehst! (Bei Kurzsichtigen ist das etwa 31 bis 15 oder 16 cm, dagegen bei Alterssichtigen 60 cm und weiter. Bei extremer Kurzsichtigkeit mag es als notwendig empfunden werden, nur mit einem Augen zu sehen, weil der Leseabstand zu klein sein kann, um beide Augen zu gleicher Zeit zu benutzen. In solchen Fällen ist es geratener, ein Auge mit einem Tuch oder dergleichen zu bedecken, solange man das andere Auge verwendet, damit man das eine Auge nicht »in die Höhe schrauben« muß. Ermüdet das eine Auge, geht man zur Benutzung des brachliegenden über und bedeckt das bisher benutzte mit dem Tuch.)

Lies Worte, Zeilen, eine halbe oder ganze Seite, bis du fühlst, das Sehen ermüdet dich; dann halte inne, schließe die Augen eine oder zwei Sekunden lang, und beginne von neuem. Blinzle regelmäßig während der ganzen Zeit, wo du liest. Auf diese Weise wirst du finden, daß du fähig bist, in aller Annehmlichkeit zu lesen.

Lesen, das so betrieben wird, bessert das Sehen und gibt den Augen ihre natürliche Beschäftigung, nach der sie verlangen; ist es doch ihre Funktion, zu sehen. Nur eines ist dabei entscheidend: Die Augen dürfen nie angestrengt werden!

Selbstverständlich hängt es von der betreffenden Person ab, wie lange das Lesen fortgesetzt werden soll. Meist findet man, zwei oder mehr Stunden lassen sich schon nach kurzer Zeit ohne Mühe bewältigen.

Die Unglücklichen, die mit nur einem Auge anfangen müssen, sollten sich nicht entmutigen lassen; denn wenn sie mit jedem Auge lesen, darf sich ja das vorher benutzte inzwischen ausruhen. Geht man dabei sorgfältig vor, läßt sich das lange Zeit hindurch fortführen.

Mit der Zeit merken sie, daß sich ihre Sicht gebessert und die Einstellung auf den Brennpunkt vervollkommnet hat. Dann ermöglicht dies, beide Augen zu verwenden.

Wo ein Auge schwächer als das andere ist, sollte man das Lesen mehr mit dem schwächeren Auge betreiben.

Kein Sehbehinderter braucht sich vor dem Lesen zu fürchten, wenn er obige Weisungen getreulich befolgt, und sobald man merkt, man kann ohne Brille lesen, fühlt man mehr als je vorher den Drang, sie für immer beiseite zu legen.

8. Kapitel

Augenmuskelübungen

Die nachstehenden Übungen dienen dem Zweck, die beide Augen umgebenden, angestrengten und zusammengezogenen Muskeln zu lockern, die bei Augenleidenden immer steif und starr sind. Indem sie geschmeidig gemacht werden, erhält das Auge die Gelegenheit, sich freier zu bewegen und anzupassen. Dadurch wird die Wiedererlangung normaler Sicht beschleunigt.

Die Übungen sind vorzunehmen, während man bequem im Polsterstuhl oder dergleichen sitzt.

Übung 1 (siehe Bild 5)

Halte den Kopf so ruhig und entspannt wie nur möglich, laß dann die Augen sanft sechsmal auf- und niedergleiten. Die Augen müssen sich langsam und regelmäßig bewegen, und zwar so weit nach unten und darauf so weit nach oben wie durchführbar. Strenge dich dabei nicht an. Verwende nur ein Mindestmaß an Kraft dabei.

Sowie die Muskeln entspannter werden, kannst du noch tiefer bzw. noch höher hinauf sehen als vorher, als Folge dieser Übung. Wiederhole die sechs Bewegungen zwei- oder dreimal, mit Ausruhen dazwischen je eine oder zwei Sekunden.

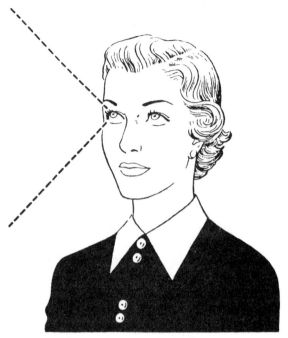

Abb. 5

Übung 2

Bewege die Augen ohne Anstrengung so weit wie möglich von einer Seite zur anderen, und zwar sechsmal!

Wie bei der vorigen Übung gilt: Sobald sich die Muskeln entspannt haben, kannst du die Augen weiter weg und müheloser bewegen.

Wiederhole dies zwei- oder dreimal. Aber verwende stets nur ein Mindestmaß an Anstrengung! Denn die Übungen sollen ja gerade die Spannung bzw. Anstrengung beseitigen, statt sie zu verstärken.

Zwischen den Wiederholungen lasse die Augen eine oder zwei Sekunden ausruhen!

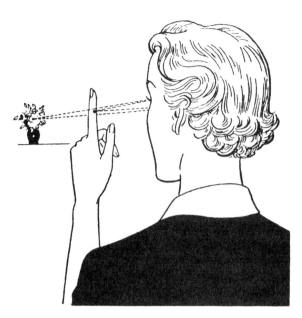

Abb. 6

Übung 3 (siehe Bild 6)

Halte ungefähr 20 cm vor den Augen den linken Zeige-
finger empor, dann blicke vom Finger weg auf irgend ein
großes Objekt, das mindestens 3 m entfernt ist, zum
Beispiel die Tür, ein Fenster oder dergleichen. Blicke
vom Finger zum Objekt zehnmal, dann ruhe das Auge
eine Sekunde aus und wiederhole die zehn Blicke zwei-
oder dreimal. Wickele diese Übung einigermaßen schnell
ab.

Das ist die beste Übung zur Besserung der Akkommodation (Anpassung). Sie sollte so oft wie nur möglich,
gleich wo, vorgenommen werden.

Übung 4

Bewege die Augen langsam und sanft kreisförmig, dann bewege sie in der umgekehrten Richtung zurück. Mache dies viermal. Dann ruhe eine Sekunde, und wiederhole die vier Bewegungen zwei- oder dreimal, jederzeit mit einem Minimum an Kraftaufwand.

Alle obigen Übungen sollte man nach Handflächenauflegung (»Palming«) vornehmen, mit einigen Sekunden Handauflegung zwischen den Übungen 1 und 2, 2 und 3, 3 und 4. (Natürlich darf man dabei nie eine Brille tragen.)

Alle Übungen zusammen sollten pro Tag knapp fünf Minuten in Anspruch nehmen. Diese aufgewendete Zeit lohnt sich reichlich durch besseres Sehen nach einiger Zeit.

Nackenübungen

Die nachstehenden Übungen dienen der Lockerung zusammengezogener Nackenmuskeln und sollten sogar dann zur Ausführung gelangen, wenn gleichzeitig eine Rückenwirbelbehandlung erfolgt.

Die geeignetste Zeit dafür ist beim Aufstehen. Sie dürfen alle zusammen nicht länger als vier bis fünf Minuten währen.

Übung 1 (Bild 7)

Stelle dich so entspannt hin, wie du kannst, die Hände an beide Seiten gelegt, dann hebe die Schultern so hoch wie möglich. Indem du sie weiterhin gehoben hältst, ziehe sie so weit wie möglich zurück; dann senke sie und kehre in die normale Lage zurück, wobei du eine Kreisbewegung mit den Schultern ausführst, und zwar ziemlich schnell bzw. lebhaft.

Abb. 7

Wiederhole das fünfundzwanzigmal und gestalte die Bewegungen zu einem kontinuierlichen kreisförmigen Heben und Senken der Schultern.

Übung 2

Dasgleiche wie bei Übung 1. Nur in umgekehrter Richtung. Bringe die Schultern am Anfang richtig zurück; dann erhebe sie so hoch wie möglich, bringe sie nach vorn; dann senke sie und kehre zurück zur Normallage.

Wiederhole das fünfundzwanzigmal in kontinuierlicher Kreisbewegung.

Abb. 8

Übung 3 (siehe Bild 8)

Laß das Kinn so weit wie möglich nach vorn fallen, bis zur Brust hin, wobei du den Nacken gelöst, nicht starr zu halten hast. Dann hebe den Kopf und laß ihn möglichst weit nach hinten sinken, bis zu den Schultern und zum Rücken.

Wiederhole das zwölfmal.

Abb. 9

Übung 4 (siehe Bild 9)

Laß das Kinn nach vorn auf die Brust fallen wie bei der letzten Übung, dann beschreibe einen vollständigen Kreis mit dem Kinn. Dreh den Kopf zuerst über die rechte Schulter, dann nach unten über den Rücken, darauf über die linke Schulter, worauf du in die erste Position zurückkehrst. Wiederhole das in umgekehrter Richtung. Beschreibe zwölf vollständige Kreise.

Die ganze Zeit über ist der Nacken entspannt zu halten. Die Richtung muß immer gewechselt werden. Andernfalls würdest du schwindlig.

Abb. 10

Übung 5 (siehe Bild 10)

Drehe den Kopf so weit wie möglich nach links, halte aber den übrigen Körper ganz ruhig. Kehre zur Normallage zurück und dann wende den Kopf so weit wie möglich nach rechts. Wiederhole das langsam zehnmal.

Diese fünf Übungen, jeden Morgen durchgeführt, verschaffen schon sehr bald dem oberen Teil von Nacken und Rückenwirbeln Erleichterung und Entspannung. Daraus ergibt sich dann eine bessere Versorgung von Augen und Kopf mit Blut und Nervenkraft.

9. Kapitel

Diät

In den letzten Jahren wurden so viele Bücher über Diät veröffentlicht, daß es kaum erforderlich scheint, in diesem Buch im Detail auf Diätfragen einzugehen.

Andererseits jedoch spielt die Diät bei der Verursachung von Sehmängeln (und auch bei deren Behebung) eine derart wichtige Rolle, daß um einen kurzen Überblick über die grundlegenden Punkte betreffs Diät nicht herumzukommen ist.

Wir essen, damit wir unser Leben erhalten. Zu diesem Zweck wird dem Körper Nahrung zugeführt. Aber die Menschen· scheinen diesen einzigen Zweck der Nahrungsaufnahme vergessen zu haben. Statt das Essen als notwendige Funktion, ähnlich wie Atmen und Schlafen, zu betrachten, gilt es als Mittel, unseren Wünschen nach Annehmlichkeiten zu willfahren, also keineswegs nur, den Hunger zu stillen. Das Hauptkriterium seines Wertes ist nicht, daß es die für die körperliche Gesundheit notwendigsten Substanzen enthalten soll, sondern daß es Gaumen und Sinne kitzelt.

Insofern, als das Essen seiner eigentlichen Aufgabe entrückt wurde, ist es kein Wunder, daß in den meisten Kulturstaaten heute der Wunsch besteht, diätetische Nahrungsmittel so künstlich und angenehm für die Augen zu machen wie nur möglich.

Dies hat zu der falschen »Verfeinerung« und Entmine-ralisierung von Zucker, Brot und Getreidepflanzen, wie Reis, Gerste usw., geführt, ferner zum Einmachen von Obst, Fleisch, Fisch usw. Es gibt jetzt eine Überfülle von solchen Annehmlichkeiten, wie Marmeladen, Torten, Schokoladensorten usw., unter Vernachlässigung von natürlichen Nahrungsstoffen, wie: frisches Obst, Salate, Gemüse, Nüsse. Wo aber grünes Gemüse doch als Bestandteil einer Diät verwendet wird, da zerkocht man es, so daß die wertvollen Salze und gesunderhaltenden Eigenschaften verlorengehen.

Denjenigen, die über dergleichen nie nachgedacht haben, kommen die verfeinerten, künstlichen Nahrungs-mittel überall um uns herum als Selbstverständlichkeit vor. Weil ja doch jedermann sie verzehrt und sich anscheinend dabei wohl fühlt, meint man: Wozu sich dann darüber beunruhigen? Nahrung ist Nahrung.

Oberflächlich gesehen, scheint das vernünftig; namentlich, wo uns führende Mediziner erklären: Eßt, was ihr gern eßt! Doch in den letzten 20 oder 30 Jahren (dank den Pionieren der Naturheilmethode) ist es offen-sichtlich geworden, daß die künstliche und konzentrierte Nahrung in den Kulturländern der Welt für die meisten ernsthaften Krankheiten verantwortlich zu machen ist, deren Entstehung so vage »Keimen« zugeschrieben wird, von den gleichen medizinischen Autoritäten, die uns sagen: Eßt nach Herzenslust.

Hiervon ausgehend haben Naturheilpraktiker in Ame-rika, Deutschland, Großbritannien usw. bei der Behand-lung solcher Erkrankungen, wie Rheuma, Tuberkulose, Zuckerkrankheit, Nierenleiden, Herzbeschwerden usw., beträchtliche Erfolge erzielt. Diese Heilungen wurden ganz einfach möglich durch ein gesundes Verständnis für die Arten von Nahrungsstoffen, nach denen der Körper verlangt, und für die besten Methoden, sie alle miteinander zu kombinieren, um den Behandelten den größten Nutzen zu verschaffen. Und dies im Bunde mit einfachen naturgemäßen Maßnahmen wie Kaltwasser-Duschen, kalten Packungen, Sonnen- und Luftbädern usw.

Die Notwendigkeit, diesen entscheidend wichtigen Gegenstand zu verstehen, ist demzufolge für jedermann klar. Auch kein Sehgestörter kann es sich leisten, daran vorbeizugehen. Die Hauptgesichtspunkte dabei sind folgende:

Natürliche, nicht ge- oder zerkochte Nahrungsstoffe sind die besten! Solche sind: *Frische Früchte* (Apfelsinen, Äpfel, Weintrauben, Pfirsiche, Pflaumen, Kirschen usw.); *grünes Gemüse* (Salat, Kohl, Spinat, Endivien, Rüben usw.); *Wurzelgewächse* (also Pflanzen, deren Wurzeln verzehrt werden) (Kartoffeln, Rübenarten, Mohrrüben, Zwiebeln usw.); *Nüsse* (Paranüsse, Walnüsse usw.); *getrocknetes Obst* (Datteln, Rosinen, Feigen); *Milchprodukte* (Milch, Sahne, Butter, Käse, Eier) und Honig.

Die soeben genannten Nährstoffe bilden die bestmögliche Grundlage einer gesunden Ernährungsweise. Alle, die auf ihre Gesundheit Wert legen oder sie wiedererlangen möchten, sollten darauf sehen, daß gerade obige Nährstoffe in ihrer täglichen Kost enthalten sind.

Es gibt keinen Grund, weshalb die Leute kein Fleisch oder keinen Fisch essen sollten; doch soll man davon wenig essen. Außerdem müssen Fleisch und Fisch ganz frisch sein (Fleisch und Fisch in Büchsen oder Dosen sind nicht zu empfehlen.)

Getreidepflanzen sind ebenfalls notwendig; doch auch sie sind nur nebenbei zu berücksichtigen (einmal pro Tag ist genug). Zu diesem Zweck ist das Bestgeeignete echtes Vollkornbrot.

Marmeladen, Kuchen und Torten, Gebäck und Pasteten, weißer Zucker, Weißbrot, Konfekt, Tee, Kaffee
usw. zusammen mit Fleisch, Fisch oder Eiern, gar zwei-
oder drei- oder viermal jeden Tag: das heißt wahrlich mit
dem Körper bzw. der Verdauung Schindluder treiben.
Das ist die Basis »all der Übel, denen das Fleisch unter-
worfen ist«.

Der Körper kann das alles nicht richtig verarbeiten.
Das wirkt sich aus in Verstopfung der Gewebe (Haut,
Muskeln, Blutgefäße), sowie Erregung der Nerven und
stört die Funktionen so lebenswichtiger Organe wie
Herz und Leber.

Wie bereits in einem vorangegangenen Kapitel ausein-
andergesetzt, werden viele Fälle fehlerhaften Sehens verursacht oder intensiviert durch jahrelange falsche Ernährung, die zu reich ist an Stärke, Zucker und Protein. Will
man wirklich wieder normale Sehfähigkeit erlangen, so
muß zu den bereits beschriebenen Maßnahmen eine
gründliche Umstellung der Ernährung als absolute Notwendigkeit hinzutreten.

Um dem Leser zu helfen, seien folgende Einzelheiten
angeführt, die er sich einprägen möge:

Am besten beginnt man den Tag mit einer Obstmahl-
zeit. Frisches und/oder getrocknetes Obst mit frischer
kalter Milch ist das allerbeste Frühstück, das sich denken
läßt. (Zusammen mit dem Obst soll man kein Brot oder
Getreide verzehren; eben nur Früchte und Milch.)

Entweder mittags oder abends wäre eine Salatschüssel
das richtige, bestehend aus Kopfsalat, Sellerie, Tomaten,
Gurken, Brunnenkresse, zerriebenen rohen gelben
Rüben (Mohrrüben) usw., zusammen mit Vollkornbrot,
Butter und Sahnekäse.

Wird besondere Zubereitung des Salats gewünscht, so
sollte nur Zitronensaft, nicht Essig, sowie reines Oliven-

öl Verwendung finden. Ein zweiter Gang darf aus gedämpften (geschmorten) Zwetschgen (Pflaumen) und Sahne oder dergleichen bestehen.

Mit zwei Mahlzeiten wie diesen pro Tag kann die dritte irgend etwas Vernünftiges sein, zum Beispiel Fleisch, Fisch, Eier mit gedämpftem Gemüse (benutzt man Kartoffeln, muß man sie stets mit der Schale braten!). Der zweite Gang kann bestehen aus getrockneten Früchten und Nüssen, gebackenen Äpfeln sowie Ei-Milch-Rahm (süße Soße) usw.

Verwende nie Gewürze! Und trinke nie beim Essen! Trinke von Tee oder Bohnenkaffee nur ein Minimum! Mach es dir zur Regel, daß du stets nur die frischeste Nahrung wählst! (Keinen geräucherten Fisch oder solchen in Dosen nehmen, und dergleichen). Iß Brot nur einmal am Tag.

Hast du aber am Nachmittag argen Durst auf Tee (oder Kaffee), dann trink ihn wenigstens sehr schwach und ohne Zucker!

Eine Ernährungsweise nach obigen Regeln wird schon bald Wunder wirken, soweit es das Allgemeinbefinden der betreffenden Person angeht. Ihre Wirkungen auf die Augen sind demzufolge verblüffend, namentlich wenn die übrigen bereits beschriebenen Maßnahmen richtig und regelmäßig ausgeführt werden.

Spezielle Anmerkung: Betont werden muß der Wert des Vitamins A für die Besserung der Sehkraft, namentlich, wenn man im Dunkeln sehen will. Maximale tägliche Einnahme dieses Vitamins ist eine wohltätige Maßregel in allen Fällen fehlerhaften Sehens bzw. irgendwelcher Augenleiden (insbesondere bei Nachtblindheit). Die besten Quellen, die das Vitamin A enthalten, sind nachstehende:

(nach der Reihenfolge ihres Wertes:) Lebertran, rohe

Kalbsleber; rohe Ochsenleber; roher Spinat; Hagebutten; rohe obere Enden von Rüben; getrocknete Aprikosen; Sahnekäse; Petersilie; Minze; Butter; vitaminisierte Margarine; Walfischöl; Eidotter; Pflaumen; Tomaten; Lattich; Mohrrüben; Brunnenkresse; Kohl; Sojabohnen; grüne Erbsen; Weizenkeime; frische Milch; Apfelsinen; pasteurisierte Milch; Datteln.

10. Kapitel

Wie die Behandlung zu erfolgen hat

Nach allem Vorangegangenen verdient der Leser Nachsicht, wenn er, bis hierher gelangt, sich von der Zahl und Vielfalt der Naturheilmethoden zur Stärkung des Augenlichts einigermaßen verwirrt und überwältigt fühlt. Will er indessen die Behandlung entschlossen durchführen, dann läßt sich immer die Zeit dazu finden.

Alles, was verwirklicht werden soll, nötigt den Verwirklichenden zu einiger Beunruhigung. Die »Arbeit«, die der Wiedererlangung normaler Sehfähigkeit dient, kann da keine Ausnahme bilden.

Alle, die die Behandlung tatkräftig in Angriff nehmen wollen, müssen darauf vorbereitet sein, daß es ohne Änderungen in ihrer Alltagsroutine nicht geht, weil eben nur so die verschiedenartigen Heilmethoden angewandt werden können. Damit ist nicht gemeint, sie sollen ihre ganze freie Zeit der Behandlung widmen, unter Ausschluß aller anderen Anliegen. Beileibe nicht. Was hingegen beabsichtigt ist, das läuft darauf hinaus, daß sie die Übungen usw. in ihre täglichen Obliegenheiten eingliedern müssen; das heißt, sie haben die Heilbehandlung zu einem Bestandteil ihres Lebens zu machen, sogar zu einem recht bedeutungsvollen, wenigstens vorläufig, bis das Ziel erreicht ist: die Wiedergewinnung normaler Sehfähigkeit für alle Zukunft.

Die ehemals getragene Brille darf dann in die Reihe antiquierter Kuriositäten eingeordnet und verwunderten Freunden als Erinnerungsstück an einen Sieg über körperliche Schäden vorgezeigt werden, einen Sieg, der mit Hilfe von gläubigem Vertrauen, Geduld und Entschlußkraft gewonnen wurde.

Das erste Erfordernis ist der Glaube an die Wirksamkeit der Behandlung. Dieses Buch wäre nie verfaßt worden, wäre der Autor nie mit den Methoden von Dr. Bates in Berührung gekommen und hätte er sich nicht mit ihrer Hilfe vor der Gefahr der völligen Erblindung, mit nachfolgender körperlicher Invalidität, retten können. Dieses Schicksal drohte ihm trotz all dessen, was die orthodoxe medizinische Kunst und Wissenschaft für ihn auszurichten vermochte.

Seine neue Fähigkeit zu sehen, die gut ausreicht, dieses Buch mit der Feder niederzuschreiben, stellt einen hinlänglichen Beweis für die Gültigkeit der auf diesen Seiten geschilderten Behandlungsmethoden dar, ohne daß es der Zitierung von Hunderten ähnlicher, gut beglaubigter Fälle bedarf. Sein Heilerfolg steht im Einklang mit den täglichen wundersamen Erfolgen der Behandlung nach der natürlichen Methode in USA, Großbritannien usw.

Ist also der Glaube an die Wirksamkeit der Behandlung fest verankert, so bleiben noch die Erfordernisse der Geduld und Entschlossenheit. Dann ist für den Ausprobierenden kein Hindernis unüberwindbar.

Es liegt außerhalb der Zielsetzung dieses Buches, jedem einzelnen eine ausführliche Liste voller Weisungen zu geben, wohl aber soll hier, als Richtschnur, jeweils ein typischer Fall der verschiedenen Augendefekte beschrieben und durchgesprochen werden, mit Hinweisen, wie die unterschiedlichen Maßnahmen durchzuführen sind, ohne daß dadurch die Tagesarbeit des Betreffenden gehindert würde; die Behandlung soll vielmehr in freien Augenblicken irgendwann am Tag erfolgen.

Jeder hat indessen die Kur nach seiner (oder ihrer) Umgebung bzw. nach den äußeren Umständen zu regeln. Die hier gegebenen Beispiele sollten jedoch als Richtschnur dienen, eine tägliche Regelung getreulich einzuhalten. Die Ergebnisse hängen ab von der Ernsthaftigkeit des Augendefekts, seiner bisherigen Dauer, dem Naturell des Patienten und der Gründlichkeit in der Behandlung.

Abschließend sei gesagt: Es darf nie vergessen werden: Hat man erst einmal die Brille abgelegt, dann darf man den Augen keine Gewalt antun, indem man ihnen zuviel zumutet. Vielmehr ist Sorge zu tragen, daß sich ihre Sehfähigkeit mehr und mehr steigert, und zwar nicht nur aufgrund der hier vorgetragenen Übungen usw., sondern auch, indem man den ganzen Tag über jegliche Anstrengung und Anspannung meidet, sei sie körperlich oder geistig! Andernfalls könnte die fortschreitende Besserung des Sehens in manchen Fällen gehemmt oder gar unmöglich gemacht werden.

Spezielle Fälle

Kurzsichtigkeit

Fall 1

Fräulein A., 26 Jahre, ist Lehrerin. Sie leidet an Kurzsichtigkeit und trägt Augengläser seit dem zehnten Jahr. Sie mußte die Brille mehrfach gegen eine stärkere auswechseln.

Wie alle Kurzsichtigen hat sie ein angespanntes, nervöses Naturell; stets beunruhigt sie sich wegen irgend etwas; manchmal ist sie nach innen gekehrt und träumt in den Tag hinein. Diese mentalen und emotionalen Faktoren sind die Ursache ihres Augenzustandes, der aber durch die übliche falsche Ernährungsweise verschlechtert wird, das heißt durch zu viel Stärke, Zucker und Protein, zu wenig Obst und Salate.

Die unteren Nackenmuskeln haben sich zusammengezogen, als Folge der dauernden Gespanntheit des Nervensystems aufgrund des Tragens von Augengläsern schon seit 16 Jahren.

Beim Bemühen um Rückerlangung normaler Sehschärfe ist mithin das erste, was sie tut, eine Diät im Sinne obiger Ausführungen zu wählen. Als ihr eingeschärft wird, der Hauptfaktor, der zu überwinden ist, ist sie selbst (ihr Ich), fängt sie an, die Dinge des Lebens mit mehr Ruhe und Leichtigkeit aufzufassen und anzupakken; sie hält sich so entspannt wie möglich.

Die Brille benutzt sie nur noch bei der Arbeit. Sie gewöhnt sich daran, zu Hause ohne sie auszukommen. Das erfordert zwar ein oder zwei Tage Experimentieren, aber dann ist es geschafft.

Jeden Morgen, beim Aufstehen, vollführt sie die Nackenmuskel-Lockerungsübungen, was nur fünf Minuten in Anspruch nimmt, und immer, wenn sie sich irgendwann am Tage wäscht, spritzt sie sich kaltes Wasser auf die geschlossenen Augen.

Während der Zeit des Mittagessens nimmt sie sich zwanzig Minuten Zeit zum Händeauflegen sowie zu zehn Minuten Schwingübungen. Auch abends widmet sie nach der Tagesarbeit eine weitere halbe Stunde dem Händeauflegen und zehn Minuten dem Schwenken. Sie pflegt Gedächtnis und Einbildungskraft, indem sie auf Wörter und Buchstaben blickt (natürlich ohne Brille) und sich diese mit geschlossenen Augen so deutlich wie möglich vergegenwärtigt.

Sie liest ohne Brille eine Viertelstunde, wenn der Tag für sie beginnt; aber bald wird daraus eine Stunde, dann sogar zwei Stunden (mit Hilfe von Blinzeln und Augenausruhen immer nach wenigen Zeilen).

Wenn sie liest, hält sie das Buch immer weiter von sich weg, um ihre Augen zu reizen, daß sie ihre Brennweite vergrößern, sie hält indessen ab und zu inne, um die zentrale Fixierung zu verstärken, indem sie sich Buchstaben innerhalb eines Wortes deutlicher als die übrigen Buchstaben dieses Wortes vorstellt. Dann schließt sie die Augen, hält das Bild des Buchstabens im Geiste fest, wobei der Rest des Wortes ihr abgeblaßt vor Augen steht; darauf öffnet sie die Augen wieder und wiederholt diese Übung mehrfach. Diese Übung bessert ihre Sehkraft beträchtlich.

Sie macht die Übungen zwecks Lockerung der Augenmuskeln im Zug, auf dem Weg zur Arbeit jeden Morgen, und wenn sich sonst die Möglichkeit dazu ergibt. Bei Gelegenheit läßt sie die Sonnenstrahlen zehn Minuten auf die geschlossenen Augen fallen. Sie findet, ihre Sehkraft bessert sich derart rasch, daß sie es wagt, ohne Brille auszugehen und ihre Gewohnheit des Tagträumens abzulegen, das ihre Augen angestrengt hatte; sie schaut auf den Verkehrsstrom, doch ohne jegliche Gespanntheit.

Derart ermutigt sie ihre Augen, zu sehen, und im Fortschritt der Behandlung findet sie ihre Brille viel zu stark und legt sie endgültig ab.

Anfangs fällt es ihr etwas schwer, die Arbeit einer Lehrerin in der Schule zu bewältigen, aber sie kommt dennoch gut zurecht, indem sie, wenn nicht vermeidbar, vorübergehend eine viel schwächere Brille aufsetzt.

Sie blickt jetzt erst recht voll Zuversicht in die Zukunft, um Schritt für Schritt wieder zur normalen Sehkraft zu gelangen.

Fall 2

Alfred B., 14 Jahre, ist weitsichtig, als Folge von Komplikationen bei Scharlachfieber. Er trägt seit sechs Jahren eine Brille.

Sobald er die Behandlung begonnen hatte, setzten ihn seine Eltern auf Diät nach der Naturheilmethode. Er wird zu den Nackenübungen jeden Abend und jeden Morgen ermutigt, ferner dazu, möglichst oft die Augen mit kaltem Wasser zu besprengen.

Seine Brille trägt er nur bei den Schulaufgaben. Es fällt nicht schwer, ihn zu bewegen, daß er sie die übrigen Stunden am Tage ablegt. Er verabscheute es sowieso, sie zu tragen. An sonnigen Tagen läßt er zehn Minuten lang die Sonnenstrahlen auf die geschlossenen Augen fallen.

Morgens und abends legt er häufig die Handflächen auf. Ebenfalls macht er die Augenmuskelübungen. Jeden Abend liest er in einem Buch so nahe den Augen, wie er den Druck ohne Anstrengung sehen kann. Nach wenigen Zeilen hält er indessen inne, um den Augen Ruhe zu gönnen, und blinzelt oft und regelmäßig all die Zeit, doch ohne jede Gespanntheit.

So kann er lange Zeitspannen hindurch lesen. Wie er mit all dem fortfährt, bringt er es dahin, das Buch in der normalen Entfernung vom Auge zu halten. Diese beträgt etwa 38 cm. Nach einigen Monaten hat er das Brilletragen endgültig aufgegeben. Seitdem kann er seine Schulaufgaben ganz ohne sie bewältigen. Allerdings muß er seinen Augen noch immer häufiges Ausspannen gönnen, damit sie nicht zu sehr angestrengt werden oder ermüden.

Seine völlige Rückkehr zu normalem Sehen ist jetzt nur noch eine Frage von Wochen.

Fall 3

Herr C. ist Angestellter, 30 Jahre. Er leidet unter Astigmatismus und trägt seit zehn Jahren eine Brille. Seine
Sehstörung geht auf das ungleichmäßige Anziehen der
den Augapfel umgebenden Muskeln zurück und ist das
Resultat falscher Ernährungsgewohnheiten, verschlimmert durch übermäßige Arbeit bei künstlichem Licht.
Die verstopften und kontrahierten Muskeln werden
dadurch ständig in angespanntem Zustand erhalten. Die
Brille vermochte keine der genannten Ursachen zu beheben. Im Gegenteil, die Augenkrankheit wurde schlimmer; und so mußte er die Gläser häufig wechseln.

In seinem Fall sind die zwei Hauptpunkte eine reinigende Diät sowie die Augenmuskelübungen. Demzufolge ändert er seine Ernährung gemäß obigen Richtli-
nien. Er legt dreimal täglich die Handflächen auf und läßt
jeweils Handauflegen und Augenmuskelübungen aufein-
ander folgen. Er vollzieht die Nackenübungen abends
und morgens und bespritzt die Augen oft mit Wasser. Zu
Hause legt er die Brille ganz ab.

Er ermutigt seine Augen zur Aktivität, indem er ohne
Gläser liest; er blinzelt regelmäßig und entspannt die
Augen oft, auch verbessert er das Erinnerungsvermögen
und die Phantasie, indem er auf Buchstaben oder Wörter
blickt und sie sich so deutlich wie nur möglich vorstellt,
während er die Augen geschlossen hält.

Auf diese Weise bessert sich sein Augenleiden schnell,
und nach kurzer Zeit vermag er seine tägliche Arbeit
mehrere Stunden ohne Brille zu bewältigen, trotz des
künstlichen Lichts.

Er hat die Behandlung bis zum Ende durchgeführt;
und am Ende hat er die Genugtuung zu wissen, daß seine
Augen wieder normal sind.

Fall 4

Herr D., 54 Jahre, leidet an Alterssichtigkeit. Er ist Verkäufer und hat nie eine Brille getragen; aber er findet, daß sein Augenzustand ihn beim Arbeiten behindert.

Sein Sehfehler ist unmittelbar durch unangemessene Ernährungsgewohnheiten verursacht; er ist an viel Stärke und Protein gewöhnt, ebenso an Kaffeetrinken und Rauchen.

Er wird auf eine vernünftige natürliche Diät gesetzt und zu Übungen sowie zur Achtsamkeit auf sein Allgemeinbefinden ermutigt.

Zweimal am Tag legt er die Handflächen auf die Augen; darauf folgen die Übungen mit den Augenmuskeln. Dann liest er eine Zeitung so nahe vor den Augen, wie er nur kann, ohne sich anzustrengen; hin und wieder schüttelt er das Blatt, damit der Druck deutlicher vor ihm steht; auch blinzelt er gelegentlich. Er vermehrt die aufs Lesen verwendete Zeit, je mehr sich seine Sicht bessert, und das geschieht rasch, weil er sich getreulich an die Übungen hält.

Er vollführt die Nackenübungen abends und morgens und spritzt sich mehrfach am Tage kaltes Wasser auf die geschlossenen Augen. Er macht stetig Fortschritte, und schon nach drei Wochen Behandlung nähert sich seine Sehkraft dem Normalzustand. Noch einige wenige Wochen: und die Heilung ist restlos gelungen.

Strabismus (Schielen)

Fall 5

Molly E., 7 Jahre, hat inneren Strabismus am linken Auge, weil einige Muskeln dieses Auges eine Atrophie (einen Schwund) aufweisen, und zwar infolge einer Nervenkrankheit im Anschluß an die Behandlung von spinaler Kinderlähmung.

Ihr wird eine Obst- und Salate-Diät verordnet; ferner macht sie einen Kurs in Rückenwirbelbehandlung durch. Dies wirkt Wunder, zusammen mit dem häufigen Verdunkeln des rechten Auges (mit einem Tuch oder dergleichen), damit nur das schwächere Auge benutzt werden kann.

Zweimal am Tage legt sie die Handflächen je zehn Minuten auf, macht die Übungen mit den Augenmuskeln und wird ermutigt, so viel zu lesen, wie sie nur kann, aber mit dem linken Auge allein (wobei sie häufige Ruhepausen einschalten soll).

Spezielle Weisungen erhält sie auch für das leidende Auge, während das rechte Auge verdunkelt wird. Sie bestehen darin, daß sie den Blick auf einen vor ihr Auge gehaltenen und hin und her bewegten Bleistift wirft, der vorwiegend nach rechts geschwungen wird, damit das Auge sich soweit wie möglich nach auswärts richtet. Das wird dreimal täglich je ein bis zwei Minuten praktiziert, während der Bleistift die ganze Zeit vor dem Auge vor- und rückwärts schwingt, wobei das kleine Mädchen, so gut es nur kann, diesen Bewegungen folgen muß, insbesondere in der Richtung, die vom schielenden Auge wegführt.

Innerhalb von zwei Monaten wird ihr Auge als sich langsam der Normalität nähernd befunden, und ihr Allgemeinbefinden ist erheblich besser als seit Jahren.

Fall 6

Frau F., 56 Jahre, leidet an Grauem Star an beiden Augen. Ihr Leiden befindet sich noch im Anfangsstadium. Aber man hat ihr gesagt, es gebe für sie keine Heilung. Alles, was sie tun könne, sei, zu warten, bis der Graue Star »reif« sei: dann sei eine Entfernung im örtlichen Krankenhaus mittels Operation möglich.

Inzwischen hat sie jedoch von der Naturheilmethode gehört und den Entschluß gefaßt, es einmal damit zu versuchen, weil sie davor zurückschreckt, sich auf eine so gefährliche Operation einzulassen, solange sie vermeidbar scheint.

Es wird ihr klargemacht, daß die Ursache des Grauen Stars die Verschlammung der Augenlinse ist, weil die Linse von Abfallprodukten verstopft wurde, das heißt von den Überbleibseln eines unvollkommenen Metabolismus (Modifizierungs-Mechanismus), und daß dies anzeigt, wie sehr der Körper voll von Giftstoffen steckt, die sich durch die üblichen Kanäle hindurch angehäuft haben aufgrund fehlerhafter Ernährung und mangelhafter Wiederausscheidung schädlicher Substanzen.

Auch ihr wird sofort eine strenge naturgemäße Diät verordnet und gesagt, sie solle jeden Tag ein Klistier zwecks Reinigung der Eingeweide anwenden. Außerdem erhält sie Rückenwirbelbehandlung.

Zweimal am Tag legt sie die Hände auf die Augen, eine halbe Stunde hindurch: darauf folgen die Augenmuskelübungen. Ferner macht sie die Nackenübungen abends und morgens früh. Sie bespritzt ihre Augen häufig mit kaltem Wasser und gönnt ihnen, wenn eben möglich, je 10 Minuten Sonnenlicht. Sie macht auch die Schwenkungen zweimal am Tage und findet, dies hilft ihr sehr.

Nach einem Monat merkt sie, ihre Sicht hat sich

merklich gebessert, und ihr Allgemeinzustand ist recht günstig. Sie ist jetzt imstande, noch mehr Teile der Augenbehandlung durchzuführen, als vorher möglich war.

Sie liest jeden Tag etwas, macht ferner die Übungen betreffs Erinnerung und Phantasie sowie zentrale Fixierung. Sie ist überglücklich, als sie bemerkt, daß sie die normale Sehkraft mehr und mehr zurückgewinnt.

Im Fortgang der Kur prägt sich ihre Besserung so stark aus, daß sie mit beiden Augen ganz gut sehen kann. Ihre Gesundheit ist zudem besser als seit Jahren.

Nach einem halben Jahr wird sie gewahr, daß die natürliche Behandlungsweise nicht allein ihre Sehkraft wiederhergestellt, sondern ihr auch eine neue Gesundheit, neues Leben geschenkt hat.

Anmerkung: Obige Fälle sind Beispiele der gewöhnlichen Arten visueller Defekte, wie man sie im Alltag so häufig antrifft, aber man darf nicht glauben, nur solche seien für die Naturheilmethode geeignet. Nein, auch zahlreiche sonstige Arten von Störungen an den Augen sind geeignet, mit diesen Methoden wirkungsvoll behandelt zu werden. Vorausgesetzt natürlich, man hat den Fall sich nicht allzu lange verschlimmern lassen. Es hat also erfolgreiche Kuren auch bei Farbenblindheit, Nachtblindheit, Nystagmus (Zittern des Augapfels), Amblyophie (Schwachsichtigkeit) usw. gegeben, ebenso wie bei anderen bereits erwähnten Erscheinungsformen.

In den nachstehenden Kapiteln werden Ursache und Behandlungsweise der vorwiegenden Augenerkrankungen in den Einzelheiten dargestellt. Bevor wir uns dieser Aufgabe zuwenden, müssen erst noch einige weitere Augenaffektionen unsere Aufmerksamkeit auf sich ziehen, nämlich:

Ablösung der Netzhaut. Das ist eine unglückliche Sache, die durch Unfall oder Schlag entstehen kann, oder auch als Folge äußerst starker Kurzsichtigkeit und des vieljährigen ständigen Tragens sehr starker Gläser. Da ist in gewissem Umfang Handauflegen lange Zeiträume hindurch hilfreich: aber die meisten Fälle entziehen sich leider den in diesem Buch dargestellten Behandlungsmethoden.

Schwebende Fleckchen vor den Augen. Diese sind häufig die Folge von körperlichen Funktionsstörungen, zum Beispiel der Leber oder der Nieren, bedürfen also der richtigen Diät. Andere Fälle gehen dagegen zurück auf die Anwesenheit von Partikelchen von Abfällen aus den Zellen und sonstigen Trümmer- oder Abfallsubstanzen im Glaskörper des Auges. Sie sind von keiner pathologischen Bedeutung, stören jedoch öfters das normale Sehen und verursachen Unbehagen. Hier ist oft eine reinigende Ernährungsweise angebracht, doch in den meisten Fällen läßt sich nichts Durchgreifendes tun. Es bleibt nichts übrig, als daß der Leidende sein bißchen Unbehagen vergißt. Doch ist noch hinzuzufügen: Der Verfasser hat erfahren, daß Kieselerde in Form von biochemischen Gewebesalzen nicht selten zur Eliminierung der schwebenden Flecke führen kann, die aus dem Vorhandensein von Zell-Abfallstoffen im Glaskörper des Auges resultieren.

Gerstenkörner. Diese gehen auf schlechten Zustand des ganzen Organismus zurück. Sie erfordern daher Behandlung der Gesamtkonstitution. Wohltätig wirken Bäder mit heißem Wasser und mit Bittersalz, wobei man einen Teelöffel voll Salz auf 0,3 Liter heißen Wassers benutzt. Während des Bades halte man jedoch die Augen sorgfältig geschlossen. Auch die Verwendung von Augentrost-Extrakt hilft in solchen Fällen sehr.

Spezielle Notiz über *Nachtblindheit*. Neueste Forschungen haben enthüllt, daß Nachtblindheit in der Hauptsache das Ergebnis von zu wenig Vitamin-A-Aufnahme bei der Ernährung ist. Dieses Vitamin kommt reichlich in Lebertran und anderen Fischleber-Ölen vor, sowie in den Nahrungsmitteln, die bereits am Ende von Kapitel 9 angegeben wurden. Nachtblindheit erfordert deshalb tägliche Einnahme von Lebertran als therapeutische Maßnahme. Außerdem sollen jeden Tag die übrigen Nahrungsmittel, die auf Seite 72 aufgeführt sind, weitgehend Bestandteile der Diät bilden.

11. Kapitel

Die Ursache der Augenkrankheiten

Viele Menschen sehen nicht ein, daß Augenkrankheiten und Sehfehler zwei ganz verschiedene Kategorien bilden. Aber so ist es. Augenerkrankungen sind Resultat pathologischer Veränderungen in den verschiedenen Augenstrukturen infolge Funktionsstörung im Auge selbst und in anderen Körperteilen. Fehlerhafte Sicht dagegen ist das Ergebnis nicht solcher pathologischer Umgestaltungen, sondern einer Unfähigkeit des Auges als Ganzheit, sich dem instinkthaften physiologischen Sehakt anzupassen (zu akkommodieren). Kurz- und Weitsichtigkeit usw. sind Sehfehler. Grauer und Grüner Star, Iritis (Regenbogenhautentzündung) usw. sind Krankheiten des Auges.

Offensichtlich hängen aber viele Augenkrankheiten ganz eng mit den Sehvorgängen zusammen und hindern dann normales Sehen. Dennoch geschieht das sozusagen nur nebenbei, »als Nebenprodukt«. Primär gehören sie nicht in die Kategorie, durch die das Auge darin gehemmt ist, nahe und ferne Gegenstände korrekt zu erfassen, und die das entstehen lassen, was wir echtes fehlerhaftes Sehen oder Sehfehler nennen.

Ein Mensch mit im allgemeinen normaler Gesundheit vermag dennoch fehlerhaftes Sehen zu entwickeln. Warum? Weil die eigentliche Ursache geistige Überanstrengung ist. Wenn sich dagegen echte Augenkrankheiten entfalten sollen, dann muß im körperlichen Organismus irgend etwas verkehrt sein. Wir dürfen nie vergessen: Die Augen sind Teile des Gesamtkörpers, als solche können sie gar nicht anders als an jeglicher Störung oder Mangelerscheinung bei irgend einer Funktion des Organismus teilzuhaben. Wenn wir an die Wurzeln von Augenkrankheiten herankommen, dann ist dies das Entscheidende. Bei Ergründung der Ursachen von Augenkrankheiten haben wir nicht nur auf die Augen selbst zu achten, nein, wir müssen den Körper als Ganzheit heranziehen!

Die orthodoxe Behandlung fußt weitgehend auf der irrtümlichen Voraussetzung: Weil eine Erkrankung das Auge befallen habe, könne die Ursache auch nur gefunden werden in irgend etwas, was die Augen betreffe, z. B. örtliche Überreizung, lange währende Augenüberanstrengung, und dergleichen. Derartige Umstände spielen bei der Entstehung von Augenkrankheiten ihre Rolle, sind aber dennoch nur von zweitrangiger Bedeutung. Unvergleichlich wichtig ist bei der Verursachung von Erkrankungen der Augen der allgemeine Zustand des Körpers und die Krankheitsgeschichte des betreffenden Individuums.

Es darf als unbestreitbar gelten, daß niemand, der sich bei guter Gesundheit befindet, Augenkrankheiten, wie Bindehautentzündung, Grauen Star usw., entwickeln kann. Eine herabgesetzte Lebenskraft und ein mit Giftstoffen angefüllter Blutstrom infolge falscher Ernährung und unvernünftiger Lebensweise sind oft eine Hauptursache der Störungen. Die medizinische Wissenschaft zeigt die Tendenz, diese zugrunde liegenden Faktoren zu ignorieren. Daher ist die schulmedizinische Behandlung von Augenkrankheiten oft auch so unbefriedigend. Konstitutionelle Behandlung, und diese Behandlung des

Gesamtkörpers allein, vermag der Übel in gesunder und zufriedenstellender Weise Herr zu werden und dem Patienten zu besserer Gesundheit zu verhelfen als vorher, weil als Ergebnis der Behandlung sein Gesamtorganismus eine gründliche Säuberung durchgemacht hat.

Sobald der Patient einsieht, daß er auf seinen Gesamtorganismus als Wurzelboden der Augenbeschwerden zu achten hat, ist er schon auf halbem Wege zu einer erfolgreichen Heilbehandlung. Nur Ignoranz in bezug auf diese lebenswichtige Grundwahrheit hindert ihn zu begreifen, worin seine Erkrankung wirklich begründet ist, und richtig an ihre Behebung heranzugehen. Die übliche ärztliche Behandlung von Augenkrankheiten ist unnatürlich und auf Unterdrückung abgestellt: sie erwächst aus der grundlegenden Unfähigkeit, die primären Ursachen der fehlerhaften Augenentwicklung zu verstehen.

Die hervorstechendste aller Augenkrankheiten ist der Graue Star. Die schulmedizinische Behandlung, nämlich mittels Operation, ist da ebensosehr eine Unterdrückungsmaßnahme und zugleich schädlicher Art wie irgend eine Operation anderer Art an irgend einem sonstigen Körperteil. Man behandelt da nur die Auswirkungen der Erkrankung, keineswegs die Ursachen. Diese Art Behandlung vernachlässigt völlig die »konstitutionelle Kondition« (also: die Beschaffenheit des Körpers ganz allgemein), die doch der Hauptschlüssel zur Erkenntnis der Störung ist!

Nichts vermag schlagender die Richtigkeit der Naturheilmethode zu erweisen, die behauptet: Der Körper ist eine Einheit, und jegliche Krankheitsbehandlung hat daher den Gesamtorganismus zu berücksichtigen, – als der bedeutende Erfolg der natürlichen Behandlungsmethode im Fall von Augenerkrankungen. Diese Behandlungsart richtet sich, sogar beinahe ausschließlich, auf die gründliche Durchsäuberung des Körpers als Ganzes, obgleich selbstverständlich örtliche Augenbehandlung hinzukommt.

Nach dieser einführenden Erläuterung der Ursache und richtigen Behandlung von Augenkrankheiten wollen wir uns nunmehr den einzelnen Krankheitsarten selbst zuwenden. (Doch werden hier nur die wichtigeren besprochen.) Beginnen wir mit dem Grauen Star.

Der Graue Star

Genau hinter der Iris (Regenbogenhaut), dem farbigen Teil des Auges, liegt die Augenlinse, durch die das Licht ins Augeninnere eindringt. Beim Grauen Star wird diese Linse opak, also undurchsichtig, so daß das Eindringen von Licht ins Auge mehr und mehr beeinträchtigt wird, je mehr sich diese Erkrankung weiter entwickelt. Wenn gar keine Lichtstrahlen mehr ins Auge gelangen, ist Blindheit die Folge. Die Entfernung der Augenlinse (oder auch ihres größeren Teiles) mittels Operation wird für den einzigen Weg gehalten, der Krankheit Herr zu werden, weil der am Grauen Star leidende Patient, wenn er nach der Operation passende Augengläser trägt, dann gerade genug zu sehen vermag, um sich im Alltag zurechtzufinden und seinen Berufsgeschäften nachzugehen, so verschieden sie auch sein mögen.

Legen wir einmal die (irrtümliche) Annahme zugrunde, sowie sich ein Grauer Star entwickelt habe, lasse sich schlechthin gar nichts mehr ausrichten, um der Verschlimmerung des Leidens Einhalt zu gebieten, dann allerdings läßt sich die Haltung der Schulmedizin dieser Krankheit gegenüber rechtfertigen. Die heutige medizinische Wissenschaft wartet; sie wartet, bis der Graue Star »reif« geworden ist (das kann einige Jahre dauern); dann wird der Graue Star entfernt. Damit ist für die Schulmedizin die Angelegenheit abgeschlossen. Daß der Kranke sich jahrelang mit der immer trüber werdenden Sicht herumschlagen mußte und zudem mit der Aussicht auf eine reichlich unangenehme Operation als angebliche Unvermeidbarkeit, das wird offiziell als etwas hingenommen, dem eben nach Lage der Dinge in keiner Weise abgeholfen werden kann.

Fest steht jedoch, daß die Dinge gar nicht so hilflos hingenommen werden müssen, wenn man die Behandlung nur auf die Beseitigung der Ursachen (nicht lediglich der Auswirkung) der Erkrankung richten will! Es ist doch bekannt, daß manche Zuckerkranke oder an der Brightschen Krankheit Leidende gelegentlich an Grauem Star zusätzlich erkranken. Das allein sollte doch bereits einiges Licht auf die Entstehung des krankhaften Zustandes als Ganzheit werfen. Sieht man denn nicht allein schon daraus, daß Faktoren der Gesamtkonstitution immer bei der Herausbildung von Grauem Star mitbetroffen sind, ganz gleich ob Diabetes oder die Brightsche Krankheit im Einzelfall vorliegt oder nicht?

Die tiefste Wurzel des Grauen Stars ist eine toxische Kondition, also: die Überladung des Organismus mit schädlichen Substanzen infolge jahrelanger falscher Ernährung und ganz allgemeiner fehlerhafter Lebensweise. Lang andauernde Verstopfung ist fast ausnahmslos ein zum Grauen Star prädestinierender Faktor in solchen Fällen, ebenso wie andere toxische Zustände, zum Beispiel Rheumatismus. Der Blutstrom füllt sich mit schädlichen (giftartigen) Stoffen an; diese werden durch den gesamten Körper befördert und lagern sich an einer anfälligen Stelle ab. Kommt dann übermäßige Anstrengung, Ermüdung der Augen, örtliche Überreizung usw. hinzu, dann kann an der Augenlinse in der Färbung (Abtönung) ein Defekt eintreten; die schädlichen Substanzen beginnen ihren verhängnisvollen Einfluß gerade an dieser Stelle geltend zu machen. Im Laufe der Zeit verschlimmert es sich, und der Graue Star beginnt sich zu entwickeln. Das ist, ganz knapp formuliert, die wirkliche Entstehung des Grauen Stars. Es ist eine Verschlammung der Augenlinse, die sich über Jahre hinzieht, als die nach und nach erfolgende Offenbarung einer ausgeprägt toxischen Kondition des Organismus. Daß praktisch alle am Grauen Star Leidenden im Laufe der Jahre eine Verschlimmerung in Kauf nehmen müssen, also auf eine chronisch gewordene Krankheit zurückblicken können, gegen die als unterdrückende ärztliche Maßregel nur das Operationsmesser oder eine Arznei bzw. Droge – oder beides – eingesetzt wurde, das ist ein Komplex von Tatsachen, der zeigt, wie treffend unsere Grundbehauptung über die wahre Ursache des Grauen Stars ist. (Bei Kindern ist der Graue Star oft die Folge von Zuckerkrankheit der Mutter vor der Geburt.)

Ein vom Grauen Star betroffener Patient darf nun allerdings aus dem weiter oben Vorgetragenen nicht den Schluß ziehen, auch seine Störung lasse sich so eins, zwei, drei mittels der Naturheilmethode beheben. Ist der Graue Star doch ein besonders hartnäckiger Krankheitszustand. Hat sich der Graue Star viele Jahre hindurch entwickeln dürfen, so daß er tief sitzt, dann kann nichts anderes als eine Operation eventuell die Rettung bringen.

Handelt es sich dagegen nur um das Frühstadium des Grauen Stars, so besteht durchaus eine Chance, daß natürliche Behandlungsweise des Übels Herr wird. Und sogar in schon einigermaßen fortgeschrittenen Fällen läßt sich häufig wenigstens eine Verschlimmerung vermeiden.

(Und das ist ja schon eine Wohltat für jemand, der allezeit vom Gespenst der drohenden schwierigen Operation verfolgt wird.)

Mittels einer gründlichen, längere Zeit anhaltenden natürlichen Behandlung, wie sie im nächsten Kapitel beschrieben wird, können Blut und Gewebe derart gereinigt werden, daß der Graue Star im Frühstadium in manchen Fällen gänzlich zum Verschwinden kommt; in anderen wird wenigstens die Verschlimmerung vermieden.

12. Kapitel

Die Behandlung des Grauen Stars

Wir sagten im vorigen Kapitel: Einige Fälle von Grauem Star können, wenn es sich ums Frühstadium handelt, mittels der natürlichen Methoden restlos ausgeheilt werden, während weiter fortgeschrittene die Rettung vor weiterer Verschlimmerung zulassen. Aber wahrhaft schwere und schon lange andauernde Fälle, so erklärten wir rund heraus, lassen sich höchstens noch durch Operation behandeln, auch wenn inzwischen die Naturheilmethode Anwendung fand. Denn dann hat sich der Graue Star zu tief eingewurzelt, um noch geheilt werden zu können.

Es mag merkwürdig klingen: Aber seit jenes Kapitel geschrieben wurde, erhielt der Verfasser ein Exemplar der Zeitschrift *The Homeopathic World* (»Die Welt der Homöopathie«) von J. Ellis Barker, dem Herausgeber. Darin gibt er seine eigenen Erlebnisse bei der Bekämpfung des Grauen Stars mittels natürlicher Heilmethoden wieder, nachdem er von führenden Augenspezialisten gehört hatte, ausschließlich eine Operation könne ihn vor endgültiger Erblindung bewahren. Vielleicht interessieren einige Zitate mit Ellis Barkers eigenen Worten:

»... Vor einiger Zeit suchte ich meinen Optiker im Westteil der Stadt auf, um meine Augen untersuchen zu lassen. Die üblichen Lese-Tests waren nicht befriedigend. Deshalb prüfte der sehr erfahrene Optiker meine Augen mit dem Ophthalmoskop (Augenspiegel). ... Nach einigem Zögern blickte er mich voll Verwirrung an und erklärte: ›Es tut mir leid. Aber da ist eine Undurchsichtigkeit am Rande beider Augen‹ – ›Um Himmels willen, ist das der Graue Star?‹ – ›Ich wage nicht zu entscheiden, ob es das ist oder nicht, an Ihrer Stelle ginge ich aber zu einem hervorragenden Augenarzt.‹«

Ich ging indessen nicht nur zu einem Spezialisten, nein, gleich zu fünf oder sechs, die mir von Freunden empfohlen worden waren. Der erste sagte mir rund heraus, ich hätte den Grauen Star auf beiden Augen, da bliebe nichts übrig als zu operieren, es komme aber ungelegen, daß das Übel an beiden Augen gleich stark auftrete, so daß die Sicht an beiden Augen im selben Maße gefährdet sei. Es gebe keine andere Behandlungsmöglichkeit als Operation. Doch könne er mir, wenn ich das wolle, Augentropfen oder Augensalbe oder dergleichen verschreiben, obwohl sie völlig nutzlos wären. Die anderen Augenspezialisten erklärten mir, ich litte an Augen-Undurchsichtigkeit bzw. ›kataraktaler‹ Undurchsichtigkeit (Opazität), oder: an einer Graue-Star-ähnlichen Augen-Undurchlässigkeit, und dergleichen Ausdrücke mehr ... Alle aber waren sich einig: Einzig und allein Operation könne helfen. Ich bekam dann eine neue, stärkere Brille; trotzdem wurden die Augen immer schlechter.«

Herr Barker traf dann eines Tages einen Herrn, der an sich selbst den Segen der Naturheilmethode erfahren hatte. Dieser vermochte Herrn Barker zu überreden, doch eine Praktikerin in der natürlichen Augenheilmethode zu konsultieren. Sie untersuchte seine Augen und versicherte ihm, sie traue es sich zu, seine Sicht stark zu verbessern, wenn er sich ihrer Behandlung unterziehen wolle. Herr Barker fährt fort:

»... Ich hörte sie mit abgründiger Skepsis an. Ich sagte zu mir selbst: Wenn meine Augen sich bloß mit Übungen und dergleichen bessern lassen, dann hätten doch auch die sechs Augenärzte oder wenigstens einer von ihnen das wissen müssen und hätten mich unbedingt unterrichtet, wie ich die Übungen anzustellen hätte. Andererseits gilt ja: Der Ertrinkende klammert sich an einen Strohhalm. Daher entschloß ich mich am Ende, die Weisungen der Dame zu befolgen. Das geschah vor etwa acht Monaten ... ... Die gründliche Änderung im Zustand meiner Augen seit dieser Zeit ist geradezu durchgreifend! Ja, man könnte es wundersam nennen. Ehedem lief ich herum mit vier Brillen, zwei Lesebrillen und zwei für die Ferne, damit ich im Falle eines Verlustes sogleich die Ersatzbrille aufsetzen konnte. Ich war von meinen Brillen völlig abhängig und ohne sie hilflos. Jetzt aber kann ich sagen: Die Fernbrille habe ich bereits vor Monaten beiseite gelegt. Früher taten mir die Augen weh, wenn ich ohne Gläser ausging. Jetzt fühle ich erhebliche Schmerzen an den Augen, wenn ich eine Brille aufsetze! In bezug auf Lesen habe ich eine merkwürdige Erfahrung gemacht: Bei gutem Licht kann ich ein Buch mit mittelgroßen Buchstaben oder die *Times* ein bis zwei Stunden ohne Brille lesen, ohne dabei zu ermüden. Neulich passierte mir dies: Ich kehrte vom europäischen Festland nach England zurück und vermochte ohne Unterbrechung vier bis fünf Stunden im Zug ein Buch zu lesen, während meine Lesebrille in meiner Rocktasche lag.«

Nach mehreren Monaten natürlicher Behandlung rief Herr Barker einen der berühmten Augenspezialisten an, er möge seine Augen abermals untersuchen. Folgendes sind die Worte, die der wie vom Donner gerührte Mediziner hervorstieß: »... Das begreife ich überhaupt nicht! Ihre Augen haben sich wunderbar gebessert, seit Sie bei mir waren. Dabei hätten sie sich doch verschlimmern müssen, wo Sie bereits erheblich über die Sechzig hinaus sind. Die Brille, die ich Ihnen das letzte Mal verschrieb, ist viel zu stark für Sie, die dürfen Sie auf keinen Fall tragen!«

Das also ist das Erlebnis von J. Ellis Barker, einem Mann, der weit und breit in Großbritannien als jemand gerühmt wird, der allezeit auf Ergründung der Wahrheit erpicht ist, wenn es sich um Fragen der Gesundheit handelt. Zweifellos werden seine Erfahrungen mit den neueren Methoden der Augenbehandlung viele andere an Grauem Star Leidende veranlassen, sich Gedanken darüber zu machen, was diese Methoden wohl in ihren Fällen auszurichten vermögen.

Um jetzt mit der Selbstbehandlung bei Grauem Star fortzufahren: Grundlegend wichtig sind das Handflächenauflegen, das Schwingen, die Nackenübungen, Augenmuskelübungen und sonstige Methoden der Entspannung und Stärkung der Augen, so wie in früheren Kapiteln angegeben. Man muß täglich soviel Zeit wie nur eben möglich auf diese Behandlungsarten anwenden. Weiter ergibt sich die Frage der gründlichen Reinigung des Körpers von schädlichen Stoffen, die ja gemäß obigen Erklärungen für die Herausbildung des Grauen Stars in erster Linie verantwortlich zu machen sind. Dazu bedarf es einer gründlichen längeren Kur.

Am besten, man beginnt mit Fasten drei bis sechs Tage lang, wobei man lediglich Orangensaft oder Wasser oder beides zu sich nimmt, je nach Alter und Vitalität. Nach diesem einleitenden Fasten sollte man eine sich auf weniges beschränkende Ernährungsweise für weitere zehn bis vierzehn Tage wählen, nach folgenden Gesichtspunkten:

Frühstück: Orangen oder Weintrauben.

Mittags: Roher Salat, bestehend aus den Gemüsen der Jahreszeit, schmackhaft zubereitet. Nur Olivenöl und Zitronensaft, nicht Essig, verwenden. *Dessert:* Rosinen, aufgeweichte gedörrte Pflaumen, Feigen oder Datteln.

Abends: Roher Salat; oder ein oder zwei Gemüse, geschmort in deren eigenen Säften; zum Beispiel Spinat, Kohl, Blumenkohl, Mohrrüben, Rüben. (Aber keine Kartoffeln.)

Als Ende der Abendmahlzeit: einige Nüsse oder süße Früchte, wie Äpfel, Birnen, Weintrauben und dergleichen.

Obiger Liste darf kein Brot oder sonst etwas hinzugefügt werden. Andernfalls geht der ganze Wert der Diät verloren!

Nach zehn bis vierzehn Tagen kann man dann mit einer reichhaltigeren Ernährung beginnen:

Frühstück: Irgendwelche frischen Früchte je nach der Jahreszeit (ausgenommen Bananen).

Mittagessen: Gemischte große Salatschüssel mit Vollkornbrot, oder Knäckebrot, mit Butter. Oder gebratene Pellkartoffeln mit Butter.

Abendessen: Zwei oder drei geschmorte Gemüse (keine Kartoffeln) mit Eiern, oder mit Käse, oder mit Nüssen. Gegrillter oder gedämpfter Fisch einmal die Woche. Einmal wöchentlich ein Huhn. Kein sonstiges Fleisch. *Dessert:* Gebackene Äpfel, gedämpfte getrocknete Pflaumen, oder frisches Obst.

Die kurze Fasten- und Diätzeit ist zwei bis drei Monate nach Beginn der Behandlung zu wiederholen, dann nach drei Monaten wiederum, falls erforderlich. Die Eingeweide sind mit Warmwasserklistier abends zu reinigen, oder es sind während des Fastens Duschen anzuwenden, auch noch später, wo ratsam. Das ist sogar sehr wichtig!

Tägliches Trockenabreiben hilft sehr, den Organismus zu harmonisieren und zu entschlacken. Zu letzterem Zweck ist auch ein heißes Bad mit Bittersalz zweimal pro Woche höchst nützlich (knapp zwei bis drei Pfund Salz in einem Bad voll heißem Wasser). Die geschlossenen Augen sollte man abends und morgens mit heißem Wasser baden, das Bittersalz enthält (ein Eßlöffel voll Salz auf eine große Tasse voll heißem Wasser). Bade die Augen möglichst oft, zu jeder Zeit; aber achte darauf, daß die Augen dabei nie geöffnet sind.

Nicht zu vernachlässigen sind frische Luft und angemessener Sport oder dergleichen im Freien bzw. Spazierengehen. Das sind zwei wesentliche Erfordernisse.

Wird die bisher beschriebene Behandlung gewissenhaft durchgeführt, zusammen mit der früher beschriebenen Augenbehandlung, dann kann der am Grauen Star Leidende schon bald sichtbare Anzeichen der Besserung wahrnehmen, die seine Anstrengungen lohnen. Dennoch darf man, wie mehrfach gesagt, bei langjährigen Fällen nicht hoffen, so schnell Nutzen und Segen aus der Behandlung zu ziehen, wie bei Fällen, die erst vor kurzem entstanden sind. In jedem Fall jedoch bringen Geduld und Ausdauer schon ihren Lohn, sogar für Augen und Gesamtkörper.

Der Kranke wird bereits bemerkt haben, daß die richtige Ernährung für ihn überragend wichtig ist. Je mehr er seine tägliche Nahrung aus Obst und Gemüse zusammensetzt, was ja die reinigenden Nahrungsmittel der Natur sind, um so besser wirkt sich das in jeder Hinsicht aus! Kein Weißbrot, Zucker, Sahne, verfeinerte Getreidearten (wie Hafergrütze, Reis, Tapioka, usw.), keine gekochten Kartoffeln, Puddings und Pasteten oder schwere, lastende Nahrungsmittel dürfen gewählt werden. Keinen starken Tee oder Bohnenkaffee trinken, keine alkoholischen Getränke. Keine Gewürze, Soßen, Pökelwaren oder sonstige »Verdauungshilfen«.

Bedenkt man, welche negative Behandlungsalternative den am Grauen Star Leidenden sonst noch bleibt, dann ist es wahrlich für sie der Mühe wert, der hier skizzierten Heilmethode die Chance zu geben, zu zeigen, was sie auszurichten vermag.

Anmerkung: Ältere Personen und solche von schlechter Gesundheit dürfen sich nicht auf anstrengendes Fasten oder allzu strenge Diät ohne Überwachung durch einen Arzt einlassen. Herzleidende müssen ebenfalls in bezug auf rigorose Diät sehr vorsichtig sein und dürfen sie nicht ohne ärztliche Beratung durchführen. Ferner haben Herzkranke Bittersalzbäder zu meiden. Nach jedem Augenbad mit Bittersalz und heißem Wasser ist es immer das beste, mit kaltem oder kühlem Wasser die Augen abzuwaschen.

Der am Grauen Star Leidende sollte sich an das erinnern, was über den Wert von Augentrost-Extrakt gesagt wurde. Den haben, bei abendlicher und morgendlicher Anwendung, viele Patienten als sehr wohltätig empfunden. Falls es schwer ist, Bittersalz zu kaufen, kann man auch ein Pfund Waschsoda statt zwei bis drei Pfund Bittersalz wählen. Verfeinertes Bittersalz kann für das Baden der geschlossenen Augen, wie vorher, Verwendung finden.

13. Kapitel

Bindehautentzündung

Im Laufe der Behandlung der Augen nach der Naturheilmethode gelangen wir jetzt zur Konjunktivitis (Bindehautentzündung), die eine sehr häufige Art der Augen-
störungen darstellt. Sie wird verursacht durch Entzündung der inneren »Augenlider-Auskleidung«, eben der
Bindehaut.

Das Auffälligste dabei ist die Röte und die Schwellung
der Lider, manchmal begleitet von einem Gefühl, als ob
etwas kiesig oder sandig im Auge wäre. Häufig kommt es
zu reichlichem Tränenfluß (»Wässern« der Augen), in
ernsteren Fällen gelegentlich sogar zu Eiterabsonderung.

Die Schulmedizin glaubt, Bindehautentzündung gehe
auf Infektion durch schädliche »Keime« oder aber auf
Überanstrengung der Augen zurück. Sicher stimmt es,
daß übermäßiges Arbeiten bei künstlichem Licht oder
sonstige Überanstrengung der Augen Bindehautentzündung begünstigt, aber die Wurzel des Übels, die wahre
Ursache ist im Gesamtorganismus gelegen, nämlich in
einer katarrh-befallenen Kondition des Körpers überhaupt.

Niemand kann an Bindehautentzündung erkranken,
der nicht unter allgemeiner Verseuchung durch giftähnli-
che, schädliche Stoffe leidet, infolge fehlerhafter Ernäh-
rungs- und Lebensweise. Der an Bindehautentzündung

Erkrankte fühlt immer Kälte oder andere Beschwerden, die eben auf die allgemeine katarrhale Kondition hinweisen. Und insofern ein Katarrh ein pathologischer Zustand in wesenhaftem Zusammenhang mit der Schleimhaut (bzw. der inneren »Auskleidung«), in Nase, Hals usw. ist, bedeutet ein Katarrh ganz einfach, daß die allgemeine katarrhale Disposition der Schleimhäute sich auf die schleimhautartige »Ausfütterung« der Augenlider ausgedehnt hat. Darin liegt das ganze Geheimnis der Bindehautentzündung; und in nichts anderem. Allerdings hat man sich stets der möglichen Rolle auch von Augenüberanstrengung bewußt zu bleiben, welche die Harmonie der Augenstruktur beeinträchtigen und so zur Bindehautentzündung mitbeitragen kann.

Sobald wir erst einmal die wahre Ursache der Bindehautentzündung erkannt haben, liegt für den verständigen Leser die Nutzlosigkeit von »Heilmitteln« wie Salben und dergleichen ohne weiteres auf der Hand. Nein, die Behandlung hat den Gesamtorganismus zu berücksichtigen. Der Kranke ißt durchwegs bei weitem zu viel stärke- und zuckerhaltige Nahrungsmittel, in Form von Weißbrot, verfeinerten Getreidepflanzen, gekochten Kartoffeln, Puddings, Pasteten, Backwerk, Zucker, Marmeladen, Konfekt, Torten usw. So etwas legt den Grund für die Entstehung des katarrh-anfälligen Körperzustandes (und damit auch der Bindehautentzündung). Ganz besonders, wenn, wie meistens, auch noch übermäßige Mengen Fleisch und andere fetthaltige und proteinhaltige Erzeugnisse verzehrt werden sowie starker Kaffee oder Tee getrunken wird, wobei man nicht einmal den Mißbrauch von Salz, Gewürzen, Soßen und anderen »Würzen« der Speisen scheut.

Kurz: Es handelt sich um eine »herabgewirtschaftete« körperliche Verfassung infolge entnervender Gewohnheiten bzw. falscher Lebensweise ganz allgemein, wozu auch die Neigung gehört, die Augen bei schlechtem Licht übermäßig zu benutzen oder sie aus anderen Anlässen ungebührlich anzustrengen.

Man sieht, daß nur eine gründliche innere Reinigung des Körpers samt umgestalteter Ernährung und neuer Lebensweise die Bindehautentzündung zu überwinden vermögen, falls diese sich erst einmal im Körper fest eingenistet hat. Wer Bindehautenzündung und seinen Gesamtorganismus heilen will, sollte seine Behandlung selber in die Hand nehmen und wie folgt damit beginnen:

Das beste ist, man wählt eine ausschließliche Frische-Früchte-Diät sieben bis zehn Tage lang. Man kann da ja frisches Obst je nach der Jahreszeit nehmen: Äpfel, Birnen, Weintrauben, Orangen, Pfirsiche usw., doch keine Bananen, und auch sonst keinerlei Nahrungsmittel. In dieser »Obstzeit« sollte zum Trinken nur Wasser dienen, gleich ob heiß oder kalt.

Diejenigen, bei denen die Bindehautentzündung schon vorgeschritten ist, sollten diese Obstdiät bis zu vierzehn Tagen ausdehen, oder, noch besser, vier bis fünf Tage ganz am Anfang fasten und darauf vierzehn Tage Diät folgen lassen, wie sie für den Grauen Star angegeben wurde.

Die »All-Frucht-Diät« oder aber: Fasten plus Graue-Star-Diät, sollte sich wie folgt abwickeln:

Frühstück: Frisches Obst; ein Glas kalte oder warme Milch.

Mittagessen: Große Salatschüssel, mit Vollkornbrot oder Knäckebrot, und Butter. Dann einige Rosinen oder Datteln.

Abends: Zwei oder drei geschmorte (gedämpfte) Gemüsearten, entweder mit Ei, oder mit Käse oder mit

Fisch. Fleisch nur ganz gelegentlich. (Zweimal wöchentlich Kartoffeln, als Pellkartoffel gebraten.) *Zweiter Gang:* Backpflaumen, oder gebratener Apfel, oder etwas frisches Obst.

Man sollte obigen Nahrungsmitteln nichts anderes hinzufügen. Wohl aber können Mittag- und Abendessen miteinander vertauscht werden.

Meist erweist es sich als notwendig, in monatlichen Abständen während der nächsten paar Monate erneut kurze »Nur-Obst-Diät« zu wählen, jedesmal zwei oder drei Tage lang. Diejenigen, die mit Fasten und eingeschränkter Diät anfangen, benötigen weitere Fasten- und Diäteinschränkungszeiten in zwei- bis dreimonatigen Abständen, bis ihr Gesamtkörper sich gründlich erholt hat.

In sämtlichen Fällen ist es erforderlich, durch ein Warmwasserklistier oder eine Dusche abends für die Säuberung der Eingeweide zu sorgen. Vor allem in den ersten Tagen der Behandlung. (Ein sauberer Grimmdarm hat mit der Beseitigung von Augenbeschwerden mehr zu tun, als die meisten Menschen sich vorstellen!)

Alle Maßnahmen, die den Körper harmonisieren, sind nützliche Ergängzungen obiger Behandlung, und eine allmorgendliche Trockenabreibung mit nachfolgendem Abwaschen in Verbindung mit täglichen Übungen, einschließlich Atemübungen, sind bei jeder Behandlung gleichfalls höchst bedeutsam. Ein heißes Bittersalzbad, ein- oder zweimal pro Woche, ist darüber hinaus sehr ratsam. Frische Luft und körperliche Bewegung im Freien dürfen nicht vergessen werden. Ebensowenig zeitiges Zubettgehen, Vermeidung aller Exzesse, usw. (Mit Bezug auf die letztgenannten Dinge ist hier nicht beabsichtigt, eine Predigt zu halten, sondern es ist nur gemeint: Je enger sich ein Kranker an eine saubere, maßvolle Lebensweise hält, deste günstiger werden auch die Erfolge bei der Behandlung von Augenleiden.)

Was die örtliche Augenbehandlung anbetrifft, so sind die Augen abends und morgens in heißem Wasser zu baden, das mit Bittersalz angereichert ist. (Ein Teelöffel voll Salz auf eine große Tasse heißen Wassers.) Die Augen sind beim Bad sorgfältig geschlossen zu halten. Bei Bindehautentzündung ist die Bestrahlung der geschlossenen Augen durch warme Sonnenstrahlen ebenfalls höchst nützlich. Keine Salben und dergleichen mehr! Was sich von selbst verstehen sollte.

Man muß sich oft der Schonungsbedürftigkeit seiner Augen erinnern. Zu vieles Lesen oder Arbeiten bei künstlichem Licht ist zu vermeiden. Die Übungen zwecks Entspannung und Stärkung der Augen müssen Hand in Hand mit der hier skizzierten Allgemeinbehandlung gehen. Das Handflächenauflegen ist gerade bei Bindehautentzündung sehr segensreich! Mehrfach am Tag sollte der Kranke, wenn nur eben möglich, dies zehn bis fünfzehn Minuten lang ausführen.

Wie bereits gesagt: Die Frage der Ernährung ist von überragender Bedeutung, und je strenger die hier gegebenen Diätanweisungen befolgt werden, um so sicherer ist der Erfolg der Kur. Die Diät-Details, die als die Vorläufer und unmittelbaren Ursachen einer katarrhalen Körperkondition zu gelten haben (Weißbrot, Zucker, viel Fleisch, raffinierte Getreidearten, starker Kaffee oder Tee usw.), sind aus der künftigen Ernährung rigoros auszuschließen. Frisches Obst und frische Gemüse müssen den Schwerpunkt der neuen täglichen Ernährung bilden! Andernfalls gilt: Die katarrhalen Giftstoffe im Hintergrund der Bindehautentzündung lassen sich niemals restlos aus dem Körper ausmerzen, so daß dann stets die Gefahr der Wiederkehr des Leidens bestünde.

(Siehe auch die Anmerkungen am Ende des Kapitels über den Grauen Star. Besonders wohltätig wirkt Baden der Augen mit Augentrost-Extrakt.)

14. Kapitel

Glaukom (Grüner Star)

Der Grüne Star ist ein Zustand, wo im Augapfel Spannung herrscht, weil zuviel Flüssigkeit darin enthalten ist. Dadurch wird das Auge hart, und es fühlt sich beim Berühren hart an, statt weich und abprallend (zurückspringend, geschmeidig) wie im Normalzustand. Eins der ersten Symptome ist das Auftauchen von farbigen Ringen um entfernte Gegenstände, wenn man sie nachts anblickt, die farbigen »Heiligenscheinen« oder »Monden« ähneln. Die Iris ist gewöhnlich nach vorne geschoben; in der Braue, der Schläfe, der Wange oder in noch anderen augennahen Teilen des Gesichts fühlt man ständig Schmerzen. Zusammen mit der Entfaltung der Krankheit entsteht Schritt für Schritt auch eine Beeinträchtigung der Sehfähigkeit, und es kann zu völliger Erblindung kommen, wenn nicht bereits im Frühstadium eine wirksame Behandlung der Störung eingeleitet wird.

Die medizinische Wissenschaft bietet als Erklärungsgrund beim Grünen Star vorwiegend starke Augenüberanstrengung und/oder zu ausgedehnte Beschäftigung bei schlechtem Licht an, obwohl man hin und wieder zugibt, daß ein erbärmlicher Allgemeinzustand des Patienten mit der Herausbildung der Krankheit etwas zu tun hat. In Wahrheit liegt die Wurzel des Übels viel tiefer. Die grundlegende Ursache des Glaukoms ist genau dieselbe wie beim Grauen Star: eine hochgradig toxische Kondition des Organismus infolge falscher Ernährung und törichter Lebensweise, plus bloße unterdrückende Behandlungsmethodik der Ärzte bei früheren Erkrankungen, mittels Operationsmesser oder Arzneien (Drogen) – oder mittels beider – während geraumer Zeit. Augenüberanstrengung stellt lediglich einen ergänzenden Faktor dar.

Die medizinische Behandlung beim Grünen Star ist die Operation, die vom inneren Druck im Auge, der Folge von zu viel Flüssigkeit darin, befreien soll. Das jedoch kann nicht die Ursache des Flüssigkeitsüberschusses beseitigen. Daher gilt: Selbst wenn eine Glaukom-Operation vorgenommen wurde, ist das noch lange kein Beweis dafür, daß das Leiden nicht wiederkehren könnte, oder daß die Krankheit nicht auch das andere Auge befallen werde. Bevor nicht die Ursache des Flüssigkeitsüberschusses richtig verstanden und angemessen behandelt wird, ist eine echte Heilung überhaupt nicht möglich. Operationen können daher bestenfalls als Palliativmittel gelten.

Die wahre Behandlung des Grünen Stars muß, statt nur örtlich und lindernd zu sein, den Gesamtkörper berücksichtigen.

Ein Glaukom ist also, wie gesagt, Flüssigkeitsüberschuß im Auge, als Ergebnis von falscher Augenentwässerung und Überfüllung der Augengewebe. Wenn zuviel Flüssigkeit in anderen Körperpartien auftritt, wird sie rasch als Ausdruck fehlerhaften Funktionierens im Organismus erkannt, das heißt als Unfähigkeit der Beseitigungsorgane, ihre Aufgabe voll zu erfüllen.

Für den Naturheilkundigen stellt zuviel Flüssigkeit im Auge keine Ausnahme von dieser Regel dar, in dem Sinne, daß Flüssigkeitsüberschuß ein Anzeichen für Störung in einer körperlichen Funktion darstellt, infolge ausgeprägter Ansammlung schädlicher Stoffe samt unvollkommener örtlicher »Entwässerung«. Selbstverständlich hindert das nicht, auch Überanstrengung der Augen bei künstlichem Licht und dergleichen als weitere Ursachen anzunehmen. Auch kann schlechter Allgemeinzustand infolge Überarbeitung, ganz abgesehen von Exzessen aller Art, zur Herausbildung der Krankheit beitragen, die freilich meistens erst in vorgerücktem Lebensalter auftritt.

Die Behandlung des Grünen Stars nach der Naturheilmethode ist nicht anders als die in den anderen Fällen, wo eine Menge schädlicher Substanzen den Körper vergiftet hat. Wenn es sich um das Frühstadium handelt, kann der Glaukom-Behaftete sich der Behandlung wie beim Grauen Star (12. Kapitel) mit der Hoffnung auf günstige Ergebnisse unterziehen. Vorgeschrittene Fälle dagegen sind zu schlimm geworden, um der Naturheilbehandlung noch eine Chance zu lassen. Diese Fälle entziehen sich jeglicher Heilbehandlung. Doch auch dann läßt sich gar manches erreichen, indem diese Behandlungsart wenigstens den Allgemeinzustand des Kranken stark bessert, so daß selbst in solchen Fällen die Kur wert ist, durchgeführt zu werden. Ferner gilt: In vorgeschrittenen Fällen von Grünem wie von Grauem Star bleibt, auch wenn eine Heilbehandlung ausgeschlossen ist, doch die Möglichkeit, mittels der Naturheilmethode wenigstens die Verschlimmerung des Leidens zu stoppen.

Ist der Allgemeinzustand des Patienten sehr schlecht und ist er sehr »nervös«, dann muß man vor Behandlungsbeginn eine Zeit der Entspannung und Ruhe einlegen.

15. Kapitel

Regenbogenhautentzündung, Keratitis und Hornhautgeschwüre

Die Iris (Regenbogenhaut), der farbige Teil des Auges, ist manchmal der Sitz der Entzündung, die als Ergebnis den Zustand zeitigt, der als Iritis (Regenbogenhautentzündung) bekannt ist. Iritis ist eine sehr schmerzhafte Augenkrankheit, und wenn sie nach der Schulmedizin behandelt wird, kann sie monatelang andauern und eine Beeinträchtigung der Sehfähigkeit zurücklassen. Nur weil die wahren Ursachen nicht begriffen wurden und weil nicht beseitigende, sondern nur unterdrückende Behandlung gewählt wird, ist dem so.

Die Iritis geht primär auf ausgesprochen toxische Verseuchung des Gesamtorganismus zurück. Wenn man nicht den ganzen Körper behandelt, besteht wenig Hoffnung, der Beschwerden Herr zu werden beziehungsweise eine völlige Wiederherstellung der Sehfähigkeit und des Normalzustandes im Auge zu erreichen. Wer von Regenbogenhautentzündung befallen wird, hat früher durchweg diese oder jene Krankheit jahrelang durchmachen müssen. Ziemlich häufig ist Verstopfung seit langer Zeit eine der Hauptursachen. Nur die Augen behandeln und die Durchseuchung des Körpers mit giftartig wirkenden Stoffen außer acht lassen, das bedeutet eine Politik der Kurzsichtigkeit, wenn es sich um die praktische Behandlungsmethode handelt.

Die zwei wichtigsten Maßregeln sind: Fasten und strenge Diät. Nur durch die gründliche innere Reinigung des Körpers kann die Verseuchung mit schädlichen Substanzen behoben und die normale Gesundheit sowohl des Auges als auch des Gesamtorganismus wiederhergestellt werden. Der Leidende sollte folgende natürliche Behandlung durchführen:

Beginne mit Fasten, drei bis fünf oder bis sieben Tage lang, je nach der Schwere der Verseuchung. Während des Fastens ist nur Orangensaft und Wasser zu trinken. Nichts sonst! Dann bricht man das Fasten ab und geht zu nachstehender Einschränkungs-Diät über:

Frühstück: Apfelsinen oder Weintrauben.

Mittags: roher Salat, aus den der Jahreszeit entsprechenden verschiedenartigen Salaten zusammengesetzt und attraktiv zubereitet. Nur mit Olivenöl und Zitronensaft anrichten.

Nachtisch: Rosinen, aufgeweichte Backpflaumen, Feigen oder Datteln.

Abends: roher Salat. Oder eine oder zwei Gemüsearten, in ihren eigenen Säften gedämpft, zum Beispiel Spinat, Kohl, Blumenkohl, Mohrrüben, Rüben, usw. (doch keine Kartoffeln). Beendige die Mahlzeit mit ein paar Nüssen oder süßen Früchten.

Obiger Liste darf keinesfalls Brot oder sonst etwas hinzugefügt werden.

Diese Diät ist zehn bis vierzehn Tage einzuhalten. Nach eingetretener Besserung geht man zu folgender reichhaltigerer Ernährung über:

Frühstück: Frisches Obst, je nach der Jahreszeit (aber keine Bananen).

Mittags: Viel gemischten Salat, mit Vollkornbrot oder Knäckebrot, und Butter. Einige Datteln, Rosinen oder Feigen.

Abends: Zwei oder drei gedämpfte Gemüsearten, entweder mit Ei oder mit Käse. Einmal wöchentlich gegrillter Fisch. Fleisch gar nicht. (Kartoffeln, in den Schalen gebraten, zweimal pro Woche.) *Nachtisch:* gebackener Apfel, geschmorte Backpflaumen oder frisches Obst.

Zeigt sich nach Fasten und reduzierter Diät immer noch keine Besserung der Krankheit, ist zunächst »volle Diät« eine Woche lang zu wählen, dann aber von neuem die Fasten- und Einschränkungs-Diät.

Für den Erfolg der Behandlung sehr wichtig ist die Anwendung der Dusche während der Fastenperiode, denn eine der zu Regenbogenhautentzündung am meisten prädisponierenden Ursachen ist die Beschwerde in den Eingeweiden. Am ersten Tag oder an den beiden ersten Tagen kann diese Dusche zweimal täglich Anwendung finden, dann jeden Tag nur einmal, so lange, bis diese Symptome behoben sind. Danach sollte dies nur wenn erwünscht durchgeführt werden. Ein heißes Bittersalzbad kann während des ersten Teils der Behandlung dreimal pro Woche mit ausgezeichnetem Erfolg dienlich sein. Die geschlossenen Augen sollte man mehrmals täglich mit heißem Wasser, das Bittersalz enthält, baden. (Ein Teelöffel voll Salz auf eine große Tasse voll heißen Wassers.) Während dieses Bades sind die Augen geschlossen zu halten. Auch hilft bei Iritis oft das Handflächenauflegen (6. Kapitel). Man sollte das täglich mehrfach tun.

Wichtig ist, daß auch nach der Überwindung des Leidens weiterhin streng auf richtige Ernährung geachtet wird! Ebenfalls ist dann noch lange darauf achtzugeben, daß die Augen vor künstlichem Licht, Ermüdung durch zu angestrengtes Arbeiten usw. bewahrt bleiben.

(Siehe auch die Anmerkung am Ende des Kapitels über den Grauen Star.)

Die Ursachen, die zur Herausbildung von Keratitis, das heißt Hornhautentzündung, führen, sind dieselben wie bei der Iritis. Beide zeigen die hochgradige Durchseuchung des Körpers mit schädlichen Substanzen an, wenn natürlich auch Überanstrengung der Augen, Augenverletzungen usw. zu ihrem Entstehen prädestinieren.

Die Behandlung der Hornhautentzündung ist so wie die der Iritis. Auch hier wird auf Heilung des Augenleidens und zugleich Wiedergewinnung voller Gesundheit überhaupt hingezielt.

Hornhautgeschwüre

Die Hornhaut ist eine Art Fenster vorne am Auge, die Pupille und Regenbogenhaut schützt. Nicht selten tauchen auf der Hornhaut (Kornea) kleine Geschwüre auf und bewirken dann reichlich viel Beschwerden für den daran Leidenden.

Wie bei sämtlichen anderen Augenkrankheiten liegt der Ursprung des Leidens im Gesamtorganismus und geht auf falsche Lebensweise sowie insbesondere auf fehlerhafte Ernährung zurück.

Bezüglich des Verständnisses für die Art, wie der Zustand der Überladenheit mit schädlichen Substanzen die Augen affizieren kann, wird der an Hornhautgeschwüren Erkrankte auf die Kapitel über Grauen und Grünen Star verwiesen. Und was die Behandlungsmethode anbetrifft, kann er nichts Besseres tun, als die für Regenbogenhautentzündung und Hornhautentzündung erteilten Ratschläge getreulich zu befolgen, wenn sein Fall ein ernsterer ist. Handelt es sich aber um einen wenig fortgeschrittenen Fall, so ist zur Erzielung günstigster Ergebnisse nichts weiteres erforderlich als die Behandlungsart, wie sie im 13. Kapitel für die Bindehautentzündung beschrieben wurde.

Da man ja eine Wiederholung derselben Beschwerden an den Augen vermeiden will, muß man auch nach der Heilung auf die richtige Ernährung größten Wert legen. Man sollte den gesamten Zustand seines Körpers systematisch durch wohldurchdachte Übungen, gesunde Lebensweise und dergleichen kräftigen. Also keine Arzneien beziehungsweise Drogen, keine Abwaschungen usw. als vermeintliche Unterstützung der Behandlungsart. Die einzige örtliche Behandlung, die ratsam ist, besteht im häufigen Baden der geschlossenen Augen in heißem Wasser mit Zusatz von Bittersalz, wie dies ja auch für alle sonstigen Augenleiden sehr empfohlen wurde; ratsam ist häufiges Bestrahlen der geschlossenen Augen durch die Sonne. Ferner nützt sehr das Handflächenauflegen nach Kapitel 6. Es sollte jeden Tag mehrmals Anwendung finden, in fünfzehn- bis zwanzigminütigen Perioden. Schließlich empfiehlt sich sehr die Benutzung von Augentrost-Extrakt in Verbindung mit dem angegebenen allgemeinen Behandlungsplan.

Anmerkung zur Augenliderflechte

(Ägyptische Augenkrankheit, Trachom)

Das Trachom wird im vorliegenden Buch nicht mit berücksichtigt. Der Grund ist, daß es in Großbritannien, Deutschland usw. fast nie vorkommt. Indessen gilt alles in bezug auf Konjunktivitis (Bindehautentzündung) Gesagte doppelt stark für die Ägyptische Augenkrankheit;

denn sie ist eine eiterige (»purulente«) Form der Binde-hautentzündung, wobei falsche Ernährung und ein Her-umvegetieren im Schmutz die beiden hauptsächlichen Ursachen darstellen. Was die Behandlung anbelangt, gilt: Eine lang ausgedehnte Fastenperiode, oder auch eine ganze Reihe kürzerer Fastenzeiten, oder von Fastenzei-ten mit Obstdiät, bedeutet die bestmögliche Behand-lungsart. Darauf hat dann eine allgemeine Obst- und Salate-Diät so wie bei der Konjunktivitis zu folgen, in enger Verbindung mit der Verwirklichung der allgemei-nen Gesundungsmaßnahmen, die im vorliegenden Buch entwickelt wurden.